année

L'heure de la lecture

Un recueil de 3 histoires
adaptées à ton niveau de lecture

Sylvie Khandjian

CAR
ACT
ÈRE

Les Éditions Caractère inc.
5800, rue Saint-Denis, bureau 900
Montréal (Québec) H2S 3L5 Canada
editionscaractere.com

Illustrations : Marc Chouinard
Révision : Cynthia Cloutier Marenger
Correction : Sabine Cerboni
Conception de la couverture : Bruno Paradis

ISBN : 978-2-896742-039-0
Imprimé au Canada
© Les Éditions Caractère inc.
Dépôt légal — Bibliothèque et Archives nationales du
Québec, 1er trimestre 2015

Les Éditions Caractère inc. remercient le gouvernement du Québec —
Programme de crédit d'impôt pour l'édition de livres — Gestion
SODEC.

**Nous reconnaissons l'aide financière du gouvernement du Canada
par l'entremise du Fonds du livre du Canada pour nos activités
d'édition.**

Nous remercions également la SODEC de son appui financier (pro-
grammes Aide à l'édition et à la promotion).

Table des matières

Mes étranges voisins

CHAPITRE 1

Vive les vacances !

Les vacances sont arrivées. Enfin ! Ça faisait longtemps que je les attendais, celles-là. Je compte les jours depuis des semaines, même depuis des mois. Mais à partir d'aujourd'hui, le décompte est terminé et finies les obligations scolaires. Me voilà officiellement en vacances depuis ce matin. Youpi ! Finie la quatrième année. Finis les devoirs, les leçons, les lectures obligatoires, les présentations orales et, surtout, finis les cours d'éducation physique, où je suis si nul. Fini aussi le réveille-matin qui sonne beaucoup trop tôt. Fini de courir chaque matin pour ne pas manquer l'autobus scolaire, avec ma mère qui me crie: «Paulo, dépêche-toi ou tu vas rater l'autobus!» Finis la boîte à lunch et les sandwichs. À moi la liberté! À moi les vacances pendant deux mois de bonheur.

Par contre, il y a une ombre au tableau, comme dirait mon père. Car même si je suis vraiment heureux d'être en vacances, je suis aussi fâché. Fâché contre mes parents. Même très fâché, je dois dire. Parce que d'habitude, l'été, nous partons toujours une ou deux semaines en vacances en famille. Nous

allons à la plage aux États-Unis ou en camping explorer une nouvelle région du Québec. Parfois, aussi, nous visitons une grande ville comme Montréal, Toronto, Chicago ou Boston.

Moi, j'adore voyager, découvrir des grandes villes ou me baigner dans l'océan. C'est génial! Et tellement différent de ma vie ordinaire. Parce que j'habite un petit village à la campagne. En fait, je n'habite pas dans le village même, mais dans un rang à quelques kilomètres de là. Alors, pour moi, la plage, la grande ville ou même le camping dans un parc, c'est complètement différent de ma vie de tous les jours. Et ça me plaît beaucoup! Et même si nous devons généralement rouler pendant des heures et des heures serrés dans la voiture, et que ma sœur et moi nous nous chicanons souvent durant le trajet, une fois arrivés, nous oublions tout et nous nous amusons comme des fous.

Mais cette année, nous ne partirons pas. Nulle part. Ni à la mer, ni en camping, ni dans une grande ville. Pas même dans un camp de vacances. Rien. C'est pour ça que je suis fâché contre mes parents. Parce qu'ils ne nous emmèneront pas en vacances cette année. À la place, ils feront des travaux dans la maison. Non, mais franchement… À quoi ils pensent ? Moi, je trouve qu'elle est déjà très belle, notre maison. Elle n'a pas besoin de travaux. Mes parents pensent toutefois le contraire. Ils ont donc décidé de refaire le toit, la cuisine et la salle de bain. Et peut-être aussi la galerie qui fait le tour de la maison, s'il leur reste assez de sous.

Dire qu'avec tous ces sous, nous aurions pu partir quelque part en famille. Ou j'aurais au moins pu aller passer une semaine dans un camp de vacances. Comme l'an dernier. C'était génial. J'y serais bien resté une autre semaine. D'ailleurs, j'y pense : maman m'avait alors dit que cet été, j'y retourne-rais deux semaines. Tu parles ! Chaque fois que je le lui ai rappelé, elle m'a répété la même explication : cette année, papa et elle sont serrés financièrement avec les travaux de la maison et ils n'ont donc pas les moyens de nous offrir des vacances.

Ça me met de mauvaise humeur chaque fois que j'y pense. La vie est vraiment injuste. Quel été vais-je passer, moi? Non seulement je resterai à la maison mais, en plus, dans une maison qui sera en construction et en chantier tout l'été… Tu parles de belles vacances! J'imagine déjà la rentrée, quand la prof nous demandera de faire un texte ou une présentation orale sur notre été. Moi, je n'aurai rien à dire… Je devrai écouter poliment mes amis parler de plage, de croisière, de camping ou de camp de vacances… Alors que moi, je leur parlerai des coups de marteau qui m'auront réveillé tous les matins à l'aube; du fait que je n'aurai pas pu me doucher pendant des jours parce qu'on aura refait la tuyauterie;

qu'on aura mangé des sandwichs tout l'été parce que la cuisine était en chantier… Bref, rien qui ressemble de près ou de loin à des vacances. J'imagine déjà mes amis se moquer de moi.

Surtout que plusieurs dans ma classe se moquent déjà de moi. À cause de mes taches de rousseur ou de ma petite taille, parce que j'aime lire de gros livres et que je suis nul en éducation physique. Ça m'énerve. Alors, je n'ai pas envie qu'en plus, ils rient aussi de moi parce que je n'ai rien à dire sur mes vacances. Soupir…

Cet été, la seule chose qui me réjouit, c'est que ma cousine Charlie viendra passer une semaine chez nous. Charlie est ma cousine préférée. Nous nous entendons vraiment bien tous les deux. Nous aimons les mêmes activités, comme lire, nager, pêcher et faire des blagues. Nous avons presque le même âge et nous nous ressemblons beaucoup. Elle aussi a des taches de rousseur et elle est encore plus petite que moi. Nous nous ressemblons tant que les gens nous prennent souvent pour des jumeaux. Et nous nous amusons toujours à leur faire croire que c'est vrai. Ça marche à tous coups.

D'ailleurs, j'aurais vraiment aimé que Charlie soit ma sœur. Je l'échangerais bien volontiers contre ma petite sœur, Justine. Même si j'aime beaucoup Justine, souvent, elle m'énerve vraiment. Comme elle n'a que sept ans et que moi, j'en ai dix, nous ne sommes pas très proches l'un de l'autre. En plus, Justine a peur de tout. Du coup, elle crie et pleure souvent. Moi, ça m'énerve qu'elle soit comme ça, aussi peureuse et aussi geignarde. Mais j'avoue que je prends parfois – mes parents diraient plutôt souvent! – un malin plaisir à la faire pleurer exprès. C'est tellement facile!

Une chose est sûre : si Charlie avait été ma sœur au lieu d'être ma cousine, ma vie aurait été bien plus amusante. Mais comme me le répètent souvent mes parents, on ne choisit pas sa famille… Ce qui est bien dommage! Parce que cet été, si j'avais eu le choix, aucun doute que j'aurais choisi une autre famille que la mienne. J'aurais pris des parents pour qui les vacances auraient été une priorité. Des parents qui m'auraient emmené quelque part pour que je passe de bonnes vacances en famille. Comme une famille normale, quoi.

Au lieu de ça, me voilà pris tout l'été dans une maison en chantier avec ma petite sœur Justine qui passera son temps à pleurnicher et à m'embêter. Une chance que Charlie sera là pendant toute une semaine. Sauf qu'il reste quand même sept autres semaines…

CHAPITRE 2

La maison rouge est habitée

Même si j'adore être en vacances, je commence déjà à m'ennuyer. Les premiers jours, tout était nouveau : se lever plus tard, passer des heures dans la piscine, aller me promener en vélo, manger des cornets de crème glacée, me coucher tard… Mais là, les journées commencent à se ressembler. Parfois, j'invite un ami à jouer chez moi. Des fois, c'est moi qui vais jouer chez lui.

Ou encore, nous nous retrouvons entre amis dans la cour d'école et nous jouons au soccer, au baseball ou à cache-cache.

Mais comme je le disais, les journées finissent par se ressembler. Il n'y a pas de nouveauté.

Ce matin, pourtant, il s'est passé quelque chose de très inhabituel. Dans le rang où j'habite, la circulation est plutôt rare. Bien sûr, il y a les voitures de mes parents, de nos voisins et de quelques promeneurs du dimanche. Des camions vont dans les fermes du rang chercher des animaux ou apporter de la moulée. En été, il y a aussi les gros tracteurs, les charrues, les moissonneuses-batteuses, les camions d'épandage. (Eux, je les déteste parce qu'après leur passage, ça pue pendant des jours. Beurk!) Évidemment, chaque semaine, le camion à ordures ou celui du recyclage passe. Et l'hiver, bien sûr, le chasse-neige vient régulièrement. Quoique pas assez régulièrement, d'après mes parents.

Mais ce matin, pendant que nous faisions du vélo, ma sœur et moi, un énorme camion de déménagement nous a dépassés. Il roulait tellement vite qu'il a soulevé un nuage de poussière. Nous n'y voyions plus rien. Quand la poussière est retombée, j'ai proposé à Justine que nous suivions le camion, que nous apercevions encore au loin. Mais comme ma sœur est super peureuse, elle a refusé. Elle a préféré rentrer à la maison. Alors, j'y suis allé tout seul.

Je pensais que je devrais pédaler à toute vitesse pour rattraper le camion. Mais quelle n'a pas été ma surprise lorsque je l'ai vu tourner vers la maison rouge. C'est la deuxième après la nôtre. Il s'agit d'une très vieille maison de ferme inhabitée depuis des années et des années. Moi, je l'ai toujours connue vide.

Toutes sortes de rumeurs circulent au village à propos de cette maison. Certains disent qu'elle est hantée. D'autres racontent que l'ancienne propriétaire, une très vieille dame, était en fait une sorcière et qu'elle lui a jeté un sort. D'autres encore disent qu'un horrible meurtre a eu lieu entre ses murs il y a plus de cent ans et que, depuis,

toutes les personnes qui y ont habité sont devenues folles. J'ai aussi entendu dire qu'un loup-garou y avait vécu caché. On prétend même que, si la maison est rouge, c'est parce qu'elle a été peinte avec du sang humain. Le sang des victimes du loup-garou, de la sorcière ou du meurtrier, selon les versions de l'histoire.

Moi, je ne crois pas trop à toutes ces rumeurs. Mais pour être honnête, j'évite quand même d'y aller. Des adolescents de la région vont s'y amuser en bande et y font parfois des fêtes.

Alors, de voir le camion de déménagement tourner dans cette entrée m'a fait un petit choc. Même si je ne crois pas aux rumeurs sur la maison

rouge, personnellement, je n'y habi-
terais jamais. Oh que non! Du coup,
je me suis demandé qui pouvait bien
avoir l'idée de s'y installer.

Poussé par la curiosité, je me suis
donc rendu jusqu'à l'entrée de la maison rouge. J'ai laissé mon vélo à côté
de la boîte aux lettres, caché dans les
hautes herbes. Comme ça, si jamais
je disparais, la police retrouvera au
moins mon vélo et les policiers sau-
ront qui m'a enlevé ou, pire, tué…
Malgré ma peur – oui, je l'avoue, j'étais
un peu effrayé –, je me suis avancé
sur la propriété en me cachant derrière les buissons. Il faut dire que c'est
plutôt facile: comme la maison est
abandonnée depuis toujours, le terrain

est presque complètement envahi par des mauvaises herbes, des buissons et des arbres. Même le camion a eu de la difficulté à se rendre jusqu'à la propriété. Il a dû zigzaguer pour éviter les gros érables qui ont poussé dans le chemin.

Les nouveaux propriétaires auront beaucoup de travail pour refaire une belle entrée. J'imagine qu'ils doivent être riches. Mes parents se plaignent souvent du mauvais état de notre entrée, où de gros trous se forment chaque printemps, au dégel. Des fois, on doit même appeler notre voisin ou une dépanneuse pour sortir notre voiture enlisée dans un de ces trous. Chaque année, c'est pareil. Je hais cette situation. Les parents de mes amis font toujours des commentaires quand ils me raccompagnent chez moi: «Oh, mais dis donc, Paul, tu ne nous avais pas dit que tu vivais sur une piste de tout-terrain», «Ça secoue par chez toi!», «La prochaine fois, Paul, je te laisserai à la boîte aux lettres, d'accord?» Mais le pire, c'est quand on me demande: «Qu'est-ce que tes parents attendent pour faire réparer votre entrée?» Que puis-je répondre? Que je suis bien d'accord avec eux et que je n'arrête pas de le réclamer à mes parents? Et que, chaque fois, mes parents me répondent la même chose: «Ça coûte cher, mon Paulo. Et nous avons d'autres priorités. Un jour, nous aurons une belle entrée. Ne t'en fais pas.» À vrai dire, je n'y crois même plus à force d'entendre chaque année les mêmes excuses de la part de mes parents.

Enfin, les nouveaux propriétaires de la vieille maison rouge doivent sûrement être riches puisque leur entrée est mille fois plus abîmée que la nôtre. Pourtant, moi, si j'étais riche, jamais je n'achèterais cette vieille maison. On voit bien qu'elle est abandonnée et que ça prendra une fortune pour la rendre belle et habitable. Quel drôle de choix de maison pour des gens riches, quand même !

Caché derrière les buissons, je pensais à tout ça en observant les déménageurs, qui avaient déjà commencé à décharger le camion. Ils étaient trois. Trois hommes super grands et vraiment costauds, avec d'énormes bras musclés couverts de tatouages. Ils déchargeaient d'énormes boîtes en carton et les rentraient dans la maison. À qui pouvaient bien appartenir toutes ces boîtes ? Et que contenaient-elles ?

Soudain, alors que je m'apprêtais discrètement à m'en aller sans me faire repérer, j'ai entendu des crissements de pneus. Je me suis vite recaché derrière mon buisson, le cœur battant. Un nuage de poussière s'élevait dans l'entrée. Puis, une minifourgonnette rouge s'est stationnée à côté du camion. Et là, j'ai eu tout un choc quand deux hommes sont sortis du véhicule. Je n'avais jamais vu d'hommes comme ça auparavant.

Ou juste à la télévision. Vêtus de longues tuniques qui ressemblaient à des robes, l'une brune et l'autre beige, sur de larges pantalons bouffants blancs, ils avaient la peau d'un brun vraiment très foncé. Leurs cheveux et leurs yeux étaient très noirs. Mais ce n'étaient pas des Noirs, comme les Africains ou les Haïtiens. Ça, je le sais parce que j'ai un ami dans ma classe, Godefroy, qui vient d'Haïti et que sa peau est bien plus foncée que celle de ces deux hommes. Et leurs cheveux n'étaient pas crépus. Je me suis demandé d'où ils venaient. Surtout quand ils se sont mis à parler dans une langue vraiment bizarre et qu'ils n'arrêtaient pas de rire. Je n'ai pas compris un seul mot de ce qu'ils se disaient, mais ça devait être drôle...

Chaque fois que l'un des hommes riait, une lumière sortait de sa bouche. C'était très étrange. Je me suis demandé si je n'étais pas fou. Qui pouvait bien produire de la lumière par la bouche ? Comment faisait-il ? J'ai enfin compris : l'homme en question avait une dent en or et, chaque fois qu'il souriait, le soleil brillait sur sa dent, créant un petit éclair de lumière. Cela confirmait que ces messieurs étaient riches.

Rapidement, les déménageurs sont sortis les rejoindre. Là, j'ai remarqué que les deux étrangers étaient vraiment plus petits que les trois déménageurs. Pourtant, malgré leur taille, ils étaient impressionnants et imposaient le respect aux trois costauds. Bien sûr, il y avait la couleur de leur peau et leurs yeux tout noirs, sans oublier la dent en or. Mais leur manière de se tenir, le dos vraiment très droit, donnait l'impression qu'ils étaient grands. Une chose est sûre : on voyait bien que c'étaient eux, les patrons. Ils se sont mis à donner des ordres aux trois costauds. En français, cette fois, avec un accent de France. Les déménageurs leur obéissaient sans broncher, disant « Oui, monsieur » ou « Bien, patron » à chaque ordre.

Quand les cinq hommes sont rentrés dans la maison, j'ai pris mes jambes à mon cou et j'ai filé en vitesse avant de me faire découvrir. De toute ma vie, je crois n'avoir jamais couru, puis pédalé aussi vite. J'avais trop hâte d'être chez moi. Loin de ces drôles d'étrangers.

Pendant le trajet, je me suis demandé qui étaient ces nouveaux voisins. D'où venaient-ils donc ? Étaient-ils des frères ? Des associés ? Des membres d'une secte ? Des illuminés ?

J'y ai pensé tout le reste de la journée. Et ce soir, couché dans le noir, je crois avoir découvert qui sont ces deux hommes. Ce sont des trafiquants. De riches trafiquants. C'est certain ! Ça expliquerait pourquoi ils ont acheté la vieille maison rouge, perdue dans un rang au fin fond de la campagne, à l'abri des regards curieux. Des trafiquants dans mon rang ! Je ne sais pas encore ce qu'ils trafiquent exactement – des

diamants, de l'or, des tableaux, de la drogue ou des armes –, mais il est clair qu'ils trafiquent quelque chose. Ça se voit tout de suite qu'ils sont louches. Je devrai les garder à l'œil.

CHAPITRE 3

Les nouveaux voisins

Voilà dix jours que les nouveaux voisins sont arrivés. Je n'ai pas encore réussi à savoir ce qu'ils trafiquent au juste dans la vieille maison rouge. Même si j'y fais un tour chaque jour ou presque. Car ça fait quatre jours que je n'y suis pas retourné. Pas parce que je n'en avais pas envie, mais parce que mes parents m'ont obligé à participer à une activité familiale.

— Aujourd'hui, Paulo, m'a annoncé ma mère ce matin-là au déjeuner, nous partons pour quatre jours de canot-camping au parc national de Frontenac.

— Oh non! ai-je rouspété. Est-ce que je suis obligé d'y aller avec vous?

— Évidemment que tu viens avec nous. Quelle question! Toi qui n'arrêtes pas de te plaindre qu'on ne part pas cet été, tu devrais être content d'aller en camping, s'est-elle étonnée.

Que pouvais-je lui répondre? Quand même pas que je préférais espionner nos nouveaux voisins. Surtout que mes parents ne savent même pas que nous avons de nouveaux voisins. Je ne leur en ai pas encore parlé. Je ne sais pas trop pourquoi… sûrement parce que ce sont des trafiquants, et des étrangers en plus. Je crois que, si mes parents le savaient, ils m'interdiraient d'aller là-bas.

Nous nous sommes donc cordés dans la voiture avec nos sacs de couchage, notre tente et des bagages pour une armée…

Finalement, j'avoue que notre expédition de canot-camping était tout simplement géniale. Sans blague, c'était magique. Chaque jour, nous faisions environ quatre ou cinq heures de canot. Puis, on se trouvait une plage tranquille où monter notre campement. Nous avons fait tous nos repas sur un feu de bois. Ça donne les meilleures tartines du monde. Nous avons aussi pêché de belles grosses truites que nous avons cuites sur une grille au-dessus du feu.

D'habitude, je n'aime pas le poisson. Mais comme j'adore pêcher et que mes parents m'obligent à manger mes prises – sinon, je dois les rejeter à l'eau –, je me suis donc forcé à en manger. Et franchement, je n'ai pas eu à me forcer longtemps. C'était délicieux!

Le soir, autour du feu, tout en mangeant des guimauves grillées ou des bananes au chocolat, mes parents nous ont raconté des légendes et des souvenirs de leur enfance. Ma sœur et moi, nous avons raconté des blagues.

Malgré mes rouspétages du début, je suis revenu enchanté de notre expédition. Mais à présent que nous sommes de retour à la maison, je n'ai plus qu'une idée en tête: aller à la vieille maison rouge. Surtout que je n'en peux plus du vacarme et du désordre qui règnent chez nous avec les travaux. Pendant notre absence, les ouvriers ont commencé à démolir la cuisine. Qui ne ressemble maintenant plus du tout à une cuisine. Alors, après le dîner, j'irai faire une balade en vélo. Vous savez où.

En arrivant à la maison rouge, je suis agréablement surpris. Le gazon autour de la boîte aux lettres a été tondu et le chemin qui mène à la maison, refait. Il n'y a plus ni mauvaises herbes, ni buissons, ni même d'érables dans le chemin. À la place, une belle route en gravier se rend jusqu'à la résidence. «J'espère qu'après les travaux de la maison, mes parents referont enfin notre entrée», me dis-je en moi-même.

Après avoir dissimulé ma bicyclette dans les fourrés, comme à l'habitude, je m'approche à pas de loup de la propriété. Tiens, il y a une deuxième minifourgonnette, verte celle-là. Sans doute sert-elle à transporter les marchandises des trafiquants. Je me demande bien de quel genre de marchandise il s'agit. J'ai hâte de le découvrir.

Des bruits de conversation me parviennent de l'arrière de la maison. On dirait qu'il y a beaucoup de monde. Tout en avançant, caché à l'abri des buissons, je tends l'oreille. Tout le monde parle la même drôle de langue que les trafiquants. Quelle est donc cette langue aux sonorités bizarres ?

J'ai le cœur qui bat, tellement j'ai peur de me faire surprendre. Mais malgré mes craintes, je continue à avancer. C'est plus fort que moi. Comme si ma curiosité était plus grande que ma peur. Pourtant, je sais bien que, si ces trafiquants me prennent en flagrant délit d'espionnage, je risque de passer un très mauvais quart d'heure. Que feraient-ils s'ils m'attrapaient? Me tortureraient-ils pour m'arracher ce que je sais de leur trafic? Me ferait-il prisonnier pour demander une rançon à mes parents? Reverrais-je ma famille?

Mon cerveau va à mille kilomètres-heure au moins. Ma respiration s'est accélérée et je sens mon cœur battre à tout rompre dans mes oreilles. Je songe à faire demi-tour et à m'en aller quand, soudain, j'entends un bruit de moteur approcher. Plus question de partir maintenant. Je suis pris comme un rat. Je crois que mon cœur va exploser tant il bat la chamade. J'ai très peur et j'ai envie de pleurer. Mais mes sanglots risqueraient de me faire repérer. Alors, je ferme les yeux et tente de calmer les battements de mon cœur. Plus facile à dire qu'à faire !

Le moteur de la voiture s'est tu. Les portières claquent les unes après les autres et des cris aigus jaillissent dans la cour. Les personnes que j'entendais derrière la maison accourent en criant pour saluer les nouveaux venus. Ils semblent être vraiment nombreux. Prenant mon courage à deux mains, j'ouvre les yeux et les épie à travers mon buisson. Quel spectacle je découvre !

À quelques mètres de moi, une quinzaine de personnes, peut-être plus, s'embrassent, se serrent dans leurs bras et rigolent ensemble. Tous semblent contents de se retrouver et, bizarrement, cela me rassure. Ce qui me rassure aussi, c'est qu'en plus des quelques adultes, j'aperçois plusieurs enfants. Mais bien vite, je songe que ces enfants sont peut-être l'objet du trafic des deux hommes. Même s'ils sourient et ont l'air heureux, peut-être sont-ils des esclaves? Peut-être seront-ils vendus? Ou devront-ils travailler de longues heures cachés dans cette maison au lieu d'aller à l'école... Les idées se bousculent dans ma tête. Et à force d'imaginer les pires scénarios possible pour ces enfants, je ne suis plus rassuré du tout.

Toutes les personnes présentes, enfants comme adultes, sont habillées de couleurs vives avec des vêtements très étranges. Les hommes semblent porter soit de longues jupes, soit des robes, alors que les femmes et les filles sont toutes enveloppées dans de longs tissus plus colorés les uns que les autres. Elles portent toutes de nombreux bijoux en or. Comme ils sont beaux ! On dirait que j'ai devant moi des princes et princesses sortis d'un livre de contes.

Pendant de longues minutes, ils se donnent l'accolade. Jusqu'à ce que l'homme à la dent en or tape bruyamment dans ses mains, ce qui me fait sursauter. Je retiens de justesse un petit cri en me mordant les lèvres.

Le silence s'installe et tous se tournent vers l'homme. Les deux mains sur le cœur, il prononce quelques mots dans sa langue. Puis, les mains en prière, il se penche vers un homme âgé et s'incline devant lui. Celui-ci lui rend sa salutation. L'homme parle ensuite en regardant les enfants, puis les adultes.

Et tout à coup, je comprends ce qu'il dit, puisqu'il parle à présent en français.

— Je vous souhaite à tous et à toutes la bienvenue dans votre, dans notre, nouvelle maison, lance-t-il fièrement. Et sans attendre plus longtemps, je vous invite à venir découvrir l'intérieur et à choisir vos chambres.

Dans un joyeux brouhaha, tous entrent dans la demeure en rigolant et en se poussant gentiment. Ils ont le sourire aux lèvres et leurs yeux noirs pétillent de bonheur.

Dès qu'ils sont à l'intérieur, j'en profite pour m'éclipser et rentrer chez moi.

— Ah! Te voilà enfin! Mais où donc étais-tu passé encore? me demande mon père alors que je range mon vélo.

— Je suis juste allé faire une promenade.

— On dirait que tu y prends goût. Tu es toujours parti sur la trotte.

— Tu devrais être content, non? lui réponds-je un peu brusquement. Je ne suis ni devant l'ordinateur ni devant la télévision.

— Oui, et j'en suis bien heureux. Je te trouve juste très indépendant cet été. Tu grandis, mon fils, me dit-il en me brassant les cheveux. Au fait, j'ai une bonne nouvelle pour toi.

J'attends la suite, mais il ne dit rien. Il fait toujours ça, mon père, pour garder le suspens. Et ça m'énerve! Alors, je ne dis rien en espérant qu'il finisse par parler. Mais comme il se tait toujours, je lui lance:

— Bon, alors, c'est quoi, la fameuse nouvelle?

— Voilà: ta cousine arrive demain. On ira la chercher à la gare d'autobus, en ville.

— Youpi! Quelle bonne nouvelle!

Évidemment, j'ai hâte de revoir Charlie. Mais ce qui me réjouit aussi vraiment, c'est que je pourrai enfin partager mon secret à propos des nouveaux voisins avec quelqu'un digne de confiance. Je sais que Charlie aura autant de plaisir que moi à les espionner. C'est certain!

CHAPITRE 4

Quand Charlie
s'en mêle

Hier, en me couchant, j'étais sûr que Charlie aurait autant de plaisir que moi à jouer les espions. Pourtant, depuis mon réveil, j'en suis de moins en moins persuadé. Plus j'y pense et plus je crois que Charlie me fera la morale. «Voyons, Paulo, ça ne se fait pas d'espionner ses voisins!» me dira-t-elle. Ou: «La curiosité est un vilain défaut, cousin ! » Voire : « Tu vas arrêter tout de suite tes jeux d'espion ou je te dénonce à tes parents ». Ce serait tout à fait son genre…

— La voilà ! lance soudain mon père en agitant les bras dans sa direction.

— Charlie ! Par ici ! crie à son tour ma mère en gesticulant encore plus que mon père.

Mes parents me font un peu honte, parfois. Par contre, ça n'a pas l'air de déranger ma cousine, qui nous rejoint en courant, toute souriante. Même si je suis vraiment content de la revoir, je suis toujours un peu gêné aux moments des retrouvailles. Heureusement, après quelques minutes, nous agissons comme si nous nous étions vus la semaine dernière et ma gêne disparaît.

Pour fêter l'arrivée de Charlie, nous déjeunons au restaurant. Ensuite, nous passons l'après-midi en famille au zoo. C'est chouette, mais j'attends impatiemment le moment de me retrouver seul avec ma cousine. Ce qui n'est pas facile puisque, pendant toute la journée, Justine ne lâche pas Charlie d'une semelle. J'ai beau lui dire de nous laisser un peu tranquilles, Charlie prend toujours sa défense. Il faut dire qu'elle est contente de jouer les grandes sœurs, car elle est enfant unique. Chaque année, elle me répète la chance que j'ai d'avoir une petite sœur. Et chaque année, moi, je lui dis que j'échangerais volontiers ma place avec elle. Parce que je suis sûr et certain que les enfants uniques sont bien plus gâtés que ceux qui ont des frères et sœurs avec qui ils doivent partager. En tout cas, moi, j'aurais bien aimé être enfant unique.

Finalement, ce n'est donc que le soir, une fois couchés dans ma chambre – Charlie dans mon lit et moi sur un matelas au pied du lit –, que nous pouvons enfin parler en toute liberté.

— Il faut que je te raconte quelque chose, lui dis-je, tout impatient. Tu te souviens de la maison rouge?

— Évidemment! La fameuse maison hantée peinte au sang humain. Avec tout ce que tu m'as raconté à son sujet, je ne pourrai jamais l'oublier, me répond-elle. Tu as une nouvelle histoire pour moi?

— Mieux que ça! Imagine-toi donc qu'on a de nouveaux voisins.

— Quoi? Mais qui donc voudrait habiter dans une maison abandonnée depuis si longtemps? Une maison hantée en plus! ajoute-t-elle en frissonnant. Ils doivent être bizarres, ces gens. Allez, raconte!

Je ne me fais pas prier et lui explique ce que je sais et ce que j'ai vu: les deux hommes à la peau foncée et aux drôles de vêtements, les enfants, les femmes et les personnes âgées habillés tout aussi bizarrement. Puis, je lui fais part de mes soupçons à propos du trafic. Et là, ma cousine n'a pas du tout la réaction que j'espérais.

— Paulo, tu as trop d'imagination! me lance-t-elle, moqueuse. Ce n'est pas parce que ces gens sont des étrangers que ce sont des trafiquants. Tu es raciste, cousin.

— Bien sûr que non! Je ne suis pas raciste! Pas du tout, lui dis-je, piqué au vif. Ce n'est pas parce que ce sont des étrangers que je crois qu'ils trafiquent quelque chose. Mais parce qu'ils ont choisi de s'installer dans cette vieille maison abandonnée, en pleine campagne, loin des yeux curieux.

— Sauf des tiens!

— Oui, bon, d'accord. Mais en tout cas, quand tu vas les voir, tu vas comprendre.

— Parce que je vais les voir? demande-t-elle, soudain très intéressée. Quand?

— Eh bien, je me disais qu'on pourrait aller faire un tour vers chez eux demain.

— D'accord, avec plaisir. Mais personnellement, au lieu de les espionner comme tu le fais, je trouve qu'on devrait se présenter et leur souhaiter la bienvenue. On pourrait leur apporter un panier avec de la confiture de tes parents et des muffins qu'on ferait. Ce serait plus poli et, si ce sont effectivement des trafiquants comme tu le soupçonnes, ce qui m'étonnerait fortement, on le découvrira bien.

— Hum… j'aime bien ton idée de panier. Mais je crois qu'il vaudrait mieux que tu les voies d'abord sans qu'ils le sachent. Après, si tu y tiens toujours, on pourra aller se présenter officiellement. Qu'en dis-tu ?

— OK, bonne idée.

J'étais heureux et soulagé que Charlie accepte ma proposition.

— Bonne nuit, cousin, me souhaite-t-elle en bâillant.

— Bonne nuit, cousine. Je suis content que tu sois là, lui dis-je avant de m'endormir.

— Oh, moi aussi ! Je passe toujours de belles vacances quand je suis avec toi et ta famille, me répond-elle en bâillant encore.

Très vite, la respiration de Charlie devient plus lente et soudain, plus bruyante. Elle s'est déjà endormie et ronfle à présent. Alors que moi, je n'arrive pas à trouver le sommeil. Je n'arrête pas de penser au fait que Charlie m'a traité de raciste. Je ne suis pas raciste. Sinon, je ne serais pas ami avec Godefroy, qui est haïtien, ni avec Juliette qui, elle, est chinoise. Ça me dérange vraiment que ma cousine puisse imaginer ça de moi. Quand même, elle devrait me connaître mieux que ça ! Pourtant, au fond de moi, dans mon cœur, j'ai peur qu'elle ait un peu raison, même si je ne l'avouerais jamais.

CHAPITRE 5

Des voisins vraiment étranges

J'avais oublié à quel point ma cousine est une lève-tôt. Si nous nous ressemblons sur beaucoup de points, là-dessus, nous sommes complètement différents. Non seulement elle se réveille aux aurores, mais dès qu'elle ouvre les yeux, elle saute du lit et commence à s'activer. Moi, c'est tout le contraire. Quand j'ai la chance de pouvoir dormir tard, je saute sur l'occasion.

J'aime aussi traîner au lit le matin ; simplement pour rêvasser ou lire.

Ce n'est pourtant pas ce matin que je pourrai traînasser. À peine ai-je ouvert les yeux que, déjà, Charlie me lance :

— Bon ! Enfin ! Ça fait une éternité que je t'attends.

Qu'est-ce qu'elle exagère quand même !

— Bonjour à toi aussi, lui dis-je en m'étirant.

— Dépêche-toi un peu. J'ai hâte d'y aller.

— Aller où ? lui demandé-je en me levant.

— Espionner tes voisins, évidemment. Quelle question ! me répond-elle, un brin moqueuse.

Tout excités de nous mettre en action, nous partons après le déjeuner avec nos vélos. Arrivée à la boîte aux lettres, ma cousine s'inquiète soudain :

— Dis, Paulo, tu es sûr qu'elle n'est pas hantée, la maison ? Avec toutes les histoires que tu m'as racontées sur cette vieille bicoque, je… eh bien… j'avoue que…

— Tu as peur ou quoi ? lui réponds-je en riant.

— Non, je n'ai pas peur, se défend-elle. Mais cette maison me donne la chair de poule. On devrait se montrer prudents.

J'acquiesce. Je ne l'avoue pas à Charlie, mais moi aussi, cette maison me met mal à l'aise. Presque autant que ses nouveaux habitants. Cachés derrière les buissons, nous avançons à pas de loup. Quatre véhicules sont stationnés devant la maison. Ce qui signifie que d'autres personnes encore sont arrivées depuis ma dernière visite. D'autres enfants destinés à devenir des esclaves ? D'autres trafiquants ?

Des coups de marteau et des bruits de scie proviennent de la maison. Comme la voie est libre, nous continuons d'avancer. J'espérais que, comme l'autre fois, nous entendrions du monde à l'arrière de la maison. Mais non, personne ne s'y trouve. Quelle déception ! Charlie me fait signe que nous pourrions espionner par la fenêtre. J'hésite ; ça me semble trop risqué. Alors que je fais non de la tête, nous entendons de grands éclats de rire au loin. Regardant autour de nous, nous cherchons d'où ils viennent. Charlie montre soudain du doigt le fond du terrain, sur la droite. J'aperçois alors une petite grange cachée derrière de grands arbres, que je n'avais encore jamais vue. C'est de là que résonnaient les rires, qui se sont tus.

Comme nous ne pouvons pas prendre le risque de traverser le terrain à découvert, nous avançons à travers les bois pour nous approcher autant que possible de la grange. Une chance qu'il y a tous ces arbres et ces buissons pour nous dissimuler !

À proximité de la grange, des bruits de conversation parviennent à nos oreilles. Ce sont surtout des voix d'enfants.

— Quelle langue ils parlent? me chuchote Charlie à l'oreille.

— Aucune idée. Mais une chose est sûre: il s'agit de la même langue que l'autre jour.

Nous contournons la grange. J'ai le cœur qui bat fort dans la poitrine. Mes mains sont moites, toutes collantes de transpiration à force de les frotter l'une contre l'autre. Charlie aussi a l'air stressé. Elle se passe sans cesse les mains sur le visage, comme pour retenir les cris qui voudraient sortir de sa bouche.

Enfin, au détour d'un arbre, nous apercevons une drôle de scène. Plusieurs enfants, vêtus de tuniques et de tissus colorés, sont assis dans l'herbe dos à nous, à l'ombre de la grange, face à un très vieil homme tout en blanc.

Il s'agit du même que l'autre jour. Les enfants sont assis dans une position qui ne semble pas des plus confortables : en tailleur, mais avec les pieds remontés bien haut sur les cuisses. Même le vieil homme est dans cette position. Je me demande si je serais capable de m'asseoir ainsi… J'essayerai en rentrant.

Le vieil homme parle et accompagne son récit de grands gestes des bras. Son visage tout ridé s'anime de sourires. Tous les enfants sont immobiles et semblent totalement captivés. J'aimerais tant comprendre ce qu'il leur raconte. Et à voir l'expression de ma cousine, je devine qu'elle se dit la même chose.

D'un commun accord, nous nous approchons prudemment, avançant

d'un arbre à l'autre. Quand brusquement, je marche sur une branche
morte. CRAC! Je me fige. Charlie me
fait les gros yeux. Comme si c'était de
ma faute! Le vieil homme s'est tu. Et
même si je suis caché derrière un tronc
d'arbre et que je ne vois plus rien, je
sens que tous les regards sont braqués
dans notre direction. Je retiens mon
souffle.

CHAPITRE 6

Ça sent la sorcellerie

Ouf! Le vieil homme reprend son histoire. Charlie et moi en profitons pour nous mettre à plat ventre. À travers les hautes herbes, nous pouvons continuer à observer la scène sans être vus. Je me rends compte qu'étrangement, le vieil homme parle maintenant en français. Je ne suis pas le seul surpris puisqu'un garçon lui demande :

— Dis, *taattaa*[1], pourquoi parles-tu en français tout d'un coup?

— Simplement pour que les esprits de la forêt nous comprennent, répond-il en regardant dans notre direction. Nous vivons désormais au Québec et le français est la langue que les esprits des lieux connaissent. Il est très important de respecter ces esprits, les enfants, où que vous soyez. Alors, par respect pour eux, je continuerai mon récit en français.

Je jurerais qu'en répondant, il me regardait et s'adressait directement à moi. Ses yeux noirs perçants se plantent soudain dans les miens. Il me voit, j'en suis sûr! Mon cœur se remet à battre la chamade. Il cogne si fort que je ne perçois plus les paroles du vieil

---

1. « Taattaa » signifie « grand-père ».

homme. Il faut que je me calme, en respirant lentement, pour entendre à nouveau sa voix.

— Ainsi, pendant dix-huit jours, les fidèles prient intensément plusieurs fois par jour et passent leur soirée au temple à écouter des épisodes de la vie de la déesse Pandialé ou à y jouer.

— C'est qui déjà, Pandialé? interroge un jeune garçon vêtu de vert forêt et à la chevelure en bataille, ce qui fait rire les autres enfants.

— L'un de vous s'en souvient-il? demande le vieil homme aux plus vieux. Oui, Nila, nous t'écoutons.

— La déesse Pandialé, dit une jeune fille que je trouve vraiment très belle dans son tissu turquoise brodé d'or, est aussi appelée Draupadi, Dolvédé, Panchali ou Panchami. Elle était la femme du grand guerrier Arjuna. Et pour lui prouver son amour et sa fidélité, elle marchait sur le feu.

— Très bien, ma grande. Donc, en plus des prières, les fidèles observent le carême. Ils ne mangent que des plats végétariens préparés chez eux.

— Mais pourquoi est-ce qu'ils font ça ? demande un autre jeune garçon, à la longue tunique beige.

Je me posais justement la question. Je suis bien content que quelqu'un le fasse pour moi.

— Ces rituels leur permettent de purifier leur corps et leur âme et de se préparer physiquement et mentalement pour être prêts le jour de l'épreuve du feu. Car au dix-huitième jour arrive le moment tant attendu de la fête de Pandialé : la marche sur le feu. Durant cette cérémonie, les hommes marchent sur le feu afin que la déesse ou d'autres dieux accomplissent leurs vœux. Certains le font aussi tout simplement pour remercier les dieux.

— Quels genres de vœux est-ce qu'ils font ? demande la belle Nila, intriguée.

— Ils demandent par exemple aux dieux de leur trouver un travail, répond le vieil homme, ou de guérir un de leurs proches ou, encore, d'avoir un enfant. Durant cette épreuve, les hommes traversent lentement, seuls ou en groupes de deux ou trois, un épais tapis de braises. Ils avancent en priant, les bras levés au ciel, tendus devant eux ou joints en prière.

— Mais pourquoi, *taattaa*? Ça doit faire mal! lance un tout petit garçon en se frottant les pieds.

Je suis bien d'accord avec lui. Ça doit être très douloureux!

— Les hommes montrent ainsi aux dieux et aux esprits de la nature qu'ils sont dignes de confiance et qu'ils méritent d'être exaucés dans leurs prières. Ils leur démontrent aussi à quel point ils les respectent et les vénèrent. Mais avant la fameuse marche sur le feu, il y a bien d'autres rituels. Le matin, sous les prières du prêtre, le feu sera allumé sur le *tikouli*, un terrain de six mètres de long sur quatre mètres de large. Sous l'œil attentif de ses gardiens, il brûlera pendant une dizaine d'heures, pour donner un épais tapis de braises et de cendres. Au bout du feu se trouve le *palkouli*, un petit bassin creusé dans la terre et rempli de lait, où les fidèles se tremperont les pieds pour les rafraîchir à la fin de l'épreuve. Aux quatre coins du feu, le prêtre aura planté des bouquets où les fidèles iront déposer des offrandes.

— Quel genre d'offrandes ?

— Des fleurs, de l'encens, des fruits. Une fois le feu allumé, les fidèles, leur famille et les prêtres se rendront au bord de la mer. Là encore, ils feront divers rituels pour se purifier davantage, avant de retourner au temple. L'après-midi a lieu un immense cortège dans les rues autour du temple.

Il y a des chars allégoriques avec des représentations des divinités, comme Pandialé, Arjuna et d'autres dieux et déesses. Ces chars sont tirés par les fidèles qui, tous, sont habillés en jaune safran ou en blanc. Plusieurs ont des colliers de fleurs autour du cou. La foule qui les suit est dense. Et la marche est rythmée par le son des tambours qui résonnent et des prières. Les gens dans la foule se joignent au défilé. On jette sur le cortège des pétales de fleurs colorés, des confettis, des poudres de couleur. Les fidèles qui marcheront sur le feu font un dernier arrêt au temple pour d'autres prières de purification. Puis, le cortège et la foule se rendent au feu sacré dans un joyeux brouhaha ponctué des tambours. Le prêtre fera de longues prières pour bénir le feu, qu'il sera le premier à traverser. Avant d'y mettre les pieds, il y jette son collier de fleurs orange. Puis, lentement, tout en priant, il avance au rythme des tambours et des prières de la foule. Ensuite, il bénira les marcheurs un à un avant de les laisser traverser les braises. Chaque fidèle traversera le feu trois fois.

— Mais comment est-ce qu'ils font pour ne pas se brûler? demande un grand garçon. Est-ce qu'ils se mettent un produit pour protéger leurs pieds?

— Ça, mes enfants, c'est un grand mystère qui fascine bien des gens, dit le vieil homme en souriant. Non, on ne met rien sur les pieds. Certains disent que ce sont les pétales de lotus et les fleurs jetés sur le feu qui protègent des brûlures. D'autres pensent que la puissance de l'esprit humain peut empêcher la douleur et les brûlures. Moi, je sais que le charbon est bien moins chaud qu'on peut le penser. Alors, lorsqu'on marche vite, sans s'arrêter, les pieds n'ont pas le temps de brûler.

— Toi, *taattaa*, est-ce que tu l'as faite, la marche sur le feu? demande une petite fille enroulée dans un tissu rose fuchsia. Ses cheveux noirs sont coiffés en une grosse tresse qui lui descend jusqu'aux fesses.

— Bien sûr, ma chérie, répond le vieil homme avec un immense sourire qui plisse son visage ridé. Et plusieurs fois, même! Vos pères aussi l'ont déjà faite.

— Et nos mères, alors? interroge la plus vieille du groupe en croisant les bras d'un air décidé. J'espère qu'elles ont le droit de faire la marche du feu.

— Oh que je te reconnais là, ma belle Shanti, rigole le vieillard, ce qui a l'air d'agacer la Shanti en question. Une fois que tous les hommes qui le souhaitaient ont traversé le feu, c'est alors au tour des femmes. Vêtues de saris jaunes et portant à la taille une ceinture de feuilles de lilas, elles font trois fois le tour des braises en suivant les joueurs de tambour. Elles s'arrêtent aux quatre coins pour allumer des morceaux de camphre au pied des offrandes et des bouquets. Ça sent tellement bon! s'exclame le vieil homme en inspirant à pleins poumons. Les femmes s'arrêtent également au bassin de lait. Elles se rincent les mains, les bras ou les cheveux avec ce lait. Dans notre île, la cérémonie se termine par le sacrifice d'un cabri[2], souvent suivi de sacrifices de poulets ou de boucs.

— Mais c'est cruel ! s'indigne la fille à la longue tresse. À quoi ça sert ?

— La bête est offerte en sacrifice aux dieux et au feu afin que les vœux des fidèles se réalisent.

— Oui, mais… s'exclame un garçon avant d'être interrompu par le bruit d'une cloche en provenance de la maison.

Instantanément, tous se lèvent et font quelques mouvements de jambes,

---

2. Le cabri est le petit de la chèvre, aussi appelé « chevreau ».

comme pour les dégourdir. Je me demande bien comment ils ont fait pour rester assis dans la même position aussi longtemps. Soudain, j'ai peur qu'ils s'avancent vers nous et nous découvrent. Charlie me regarde, légèrement affolée. Elle doit avoir la même crainte que moi.

Le vieillard se tourne dans notre direction et lève les bras au-dessus de sa tête, les mains tendues vers le ciel. Tandis qu'il se racle la gorge, je me dis que notre dernière heure est arrivée et je me mets à prier. Enfin, je ne sais pas vraiment prier, mais je me répète sans cesse : « S'il vous plaît, mon Dieu, aidez-moi. » Il doit m'entendre, car le vieillard dit :

— Il est temps d'aller manger, les enfants. Remercions les esprits de la forêt de nous avoir offert ce moment de recueillement et de nous avoir écoutés si attentivement.

Les enfants se tournent alors vers nous et, les mains en prière, se penchent dans notre direction. J'arrête de respirer. Je me couche complètement dans l'herbe et, les yeux fermés, je prie sans relâche. Mon cœur bat dans mes oreilles.

Soudain, je sens une main sur mon épaule. Je me relève en poussant un cri de terreur. Devant moi, Charlie est morte de rire.

— Dis donc, tu as peur de moi ou quoi ? me demande-t-elle, pliée en deux.

— Bien sûr que non ! Je croyais que c'était le vieil homme, dis-je en tentant de reprendre mon assurance.

— Ça fait un moment qu'il est parti, avec tous les enfants.

— Ah bon ? dis-je, étonné.

— Oui, regarde. On les voit là-bas : ils arrivent à leur maison.

Me voilà rassuré. Au moins, nous ne nous sommes pas fait prendre. Sans attendre plus longtemps, Charlie et moi déguerpissons à travers les bois. Arrivés près de la maison rouge, nous ralentissons le pas. De délicieuses odeurs de nourriture flottent dans l'air. Je reconnais des arômes de viandes grillées, mais accompagnés de parfums d'épices que je ne connais pas. Toutes ces senteurs me donnent faim. Avec beaucoup de précautions, nous nous éloignons sans nous faire repérer.

Après avoir récupéré nos bicyclettes, nous pédalons sans nous arrêter jusqu'à la maison.

— Ah ! Vous voilà tous les deux ! lance maman, les bras chargés de saladiers, suivie de Justine qui porte des assiettes. Vous arrivez juste à temps pour le dîner. Vos estomacs sont de vraies horloges !

En riant, Charlie et moi les aidons à mettre la table. J'aurais aimé avoir le temps de parler avec ma cousine de ce que nous venons de voir. Mais la discussion va devoir attendre que nos estomacs soient rassasiés. Nous aurons tout le temps de placoter en digérant.

CHAPITRE 7

L'Inde n'est pas une île

— Eh bien, moi, je dis que ce sont des sorciers. En tout cas, le vieil homme en est un. J'en suis certain, dis-je, confortablement installé dans un hamac à l'ombre des érables.

— Non, je ne crois pas, me répond Charlie en secouant la tête dans le hamac qui me fait face. Je crois plutôt qu'il s'agit d'une secte religieuse et que le vieux en est le gourou.

— Le quoi ?

— Le gourou. C'est-à-dire un guide spirituel, ou un genre de prêtre, si tu préfères, m'explique-t-elle. Il parlait beaucoup de prières et d'offrandes aux dieux.

— C'est vrai, admets-je en réfléchissant. Et puis, il a aussi parlé de sacrifices pour les dieux. Mais franchement, tu ne crois pas que c'est un peu de la sorcellerie de marcher sur un tapis de braises ? Tu connais une religion qui demande ça ? Avoue que c'est une pratique étrange.

— J'avoue. Mais tu sais, plusieurs religions demandent des choses bizarres à leurs fidèles, ajoute-t-elle avec un air de « madame-je-sais-tout ».

— Comme quoi ? Donne-moi des exemples, s'il te plaît, la mets-je au défi.

— Eh bien… heu… il y a par exemple le ramadan chez les musulmans. Pendant un mois, je crois, les gens ne doivent ni boire, ni manger, ni fumer, ni tenter de séduire quelqu'un, du lever jusqu'au coucher du soleil.

— Ah bon ! dis-je, étonné des connaissances de ma cousine.

— On a appris ça à l'école, dans le cours Éthique et culture religieuse. Pas toi ?

— Heu… non, pas que je me souvienne… ou alors, j'ai oublié, réponds-je pour justifier mon ignorance en la matière. Mais j'ai un autre exemple d'étrange pratique religieuse. Tu te souviens comme grand-maman est fière de nous raconter que notre arrière-grand-mère a déjà gravi les marches de l'Oratoire Saint-Joseph, à Montréal, à genoux ?

— Oh oui ! répond Charlie en riant. Ou le carême qu'elle faisait à Pâques : plusieurs jours sans manger ni viande ni dessert.

— Je suis bien content qu'on ne pratique plus ces coutumes-là dans notre famille, dis-je. Tu imagines un peu, devoir se priver de dessert et de sucrerie pendant QUARANTE jours. Méchant supplice !

— Une vraie torture !

On rit un moment. Puis, on trouve d'autres exemples de pratiques religieuses plutôt étranges. Charlie en connaît un paquet. Je découvre qu'elle est vraiment savante au sujet des religions. Elle m'impressionne, moi qui n'y connais rien.

J'apprends ainsi que les soufis, les membres d'une secte de l'islam[3], passent des heures à tourner sur eux-mêmes comme des toupies pour prier Dieu; que des juifs en Israël passent des nuits à prier, le nez collé contre un immense et vieux mur; que les chrétiens orthodoxes attendent des heures en file pour embrasser, les uns après

---

3. L'islam est la religion des musulmans. Comme dans le christianisme, où il y a différentes branches, dont le catholicisme, le protestantisme et l'orthodoxie, dans l'islam, on retrouve plusieurs religions, comme le soufisme, le sunnisme ou le chiisme, entre autres.

les autres, l'icône d'un saint ou d'une sainte... Bonjour les microbes !

— Donc, la marche sur le feu serait une pratique religieuse... dis-je à voix haute. Dans le fond, ça se pourrait. Mais dans quelle religion ?

— Voilà la question, mon cher Watson ! répond Charlie en se prenant pour le grand détective Sherlock Holmes. Tu sais quoi ? Moi, je crois que c'est une religion qui vient de l'Inde.

— Ah bon ? Pourquoi est-ce que tu penses ça ? lui demandé-je, intrigué. Et tu en connais, des religions de ce coin du monde ?

— Je sais qu'il y a des hindous, en tout cas... et des bouddhistes. Et je crois que les sikhs, ceux qui ont de gros turbans autour de la tête, viennent aussi de cette région. Et si je pense que tes nouveaux voisins sont indiens, m'explique-t-elle, c'est à cause de leurs vêtements.

— Tu parles des tissus dans lesquels les filles sont enroulées ? dis-je en riant. Ou des robes que portent les hommes ?

— Exactement ! Le tissu, comme tu dis, s'appelle un sari. C'est le costume traditionnel des femmes en Inde. Et les tuniques des hommes, je crois que ce sont des kurtas ou quelque chose comme ça. Il serait logique que tes voisins viennent d'Inde s'ils sont habillés comme des Indiens, déclare Charlie d'un ton décidé.

— Je comprends ta logique, mais je crois que tu as tort, lui réponds-je, ce qui la fait sourire tellement elle est sûre de son coup.

— Vraiment ? Et qu'est-ce qui te fait dire ça, monsieur le spécialiste ? me demande Charlie en me regardant de haut.

— Eh bien, le vieillard, tantôt, a parlé d'une île. Il a dit : « dans notre île ». Et comme l'Inde n'est pas une île, il est logique qu'ils ne soient pas Indiens, lui expliqué-je, fier de mon raisonnement.

— C'est bien trop vrai… Tu as raison, dit Charlie, tout étonnée. Mais alors, d'où viennent-ils ?

— Ça, c'est un mystère…

Nous passons l'après-midi à réfléchir à la question tout en nous occupant de ma petite sœur. Maman devait aller faire des courses et, comme nous ne voulions pas l'accompagner, nous devons jouer avec Justine. J'ai un peu rouspété, mais Charlie était enchantée de cette responsabilité. Et en fin de compte, on s'amuse bien, tous les trois. Par contre, nous ne réussissons pas à résoudre le mystère de la provenance de mes étranges voisins.

Pour nous remercier d'avoir bien pris soin de Justine, mes parents nous emmènent souper au casse-croûte du village. Nous mangeons des hamburgers et de la poutine. Et pour couronner le tout, comme dessert, nous avons droit à des cornets de crème glacée molle trempée dans le chocolat. Un vrai souper de fête! Du coup, je me dis que je devrais accepter plus souvent de m'occuper de Justine si je suis ensuite gâté de la sorte. Ça vaut la peine de souffrir quelques heures en échange d'un si bon repas!

CHAPITRE 8

Des espions démasqués

Aujourd'hui, Charlie et moi avions planifié partir de bonne heure pour poursuivre notre enquête chez les voisins. Nous avions même l'intention d'emporter un pique-nique avec nous, pour pouvoir les observer plus longtemps. Mes parents avaient cependant d'autres plans pour nous. Ils ont décidé de nous emmener passer la journée dans un parc aquatique où il y a plein de jeux d'eau et de glissades.

Même si au début nous étions un peu déçus de devoir repousser notre enquête, la journée a été magnifique. Nous nous sommes vraiment bien amusés. J'espère d'ailleurs que nous y retournerons avant le départ de Charlie. Ou du moins, avant la fin des vacances.

C'est donc seulement en fin d'après-midi que nous pouvons partir en direction de la maison rouge. Ma mère est tout étonnée de nous voir prendre nos vélos.

— Vous partez vous promener ? nous demande-t-elle. Vous n'êtes pas fatigués ?

— On va juste faire une balade, ma tante, répond Charlie avec entrain. Tu sais comme j'aime être à la campagne. Je veux en profiter au maximum !

— Très bien ! Mais revenez à temps pour le souper. Disons vers dix-neuf heures.

— On sera de retour à l'heure, dis-je en la saluant.

Nous partons. Nous n'avons pas de plan établi. Juste de nous rendre là-bas et d'essayer d'en apprendre davantage sur mes fameux voisins. Nous ne sommes pas déçus ! Parole de Paulo !

Comme la veille, à notre arrivée, des bruits de marteau sortent des fenêtres de la maison. Nous décidons d'aller voir du côté de la grange s'il n'y aurait pas quelqu'un. Nous avons vu juste : plus nous approchons, à l'abri des arbres, plus nous entendons d'étranges sons. De drôles de « aoum » qui vibrent à l'unisson dans l'air. Que font-ils donc ? Sont-ils en train de prier ? Ou peut-être tentent-ils d'appeler les esprits ? Ou alors ils préparent un tour de sorcellerie…

Ces sons me donnent vraiment la chair de poule. Et plus nous approchons, plus ils sont intenses et vibrants. À tel point que les vibrations résonnent dans mon propre corps. C'est vraiment étrange, comme sensation. J'ai très envie de rebrousser chemin. Parce que, pour dire la vérité, je suis un peu effrayé à l'idée de ce que nous allons découvrir. Je ne pense pas que Charlie ressente la même chose que moi, car si je ralentis, elle, au contraire, accélère le pas. Comme si elle avait hâte.

Arrivés à notre point d'observation habituel, nous les voyons. Ils sont tous assis dans la même position qu'hier, en tailleur, les pieds remontés bien haut sur les cuisses, les enfants face au vieil homme. Tous ont les yeux fermés et le visage paisible, presque souriant. Leurs mains sont jointes en prière devant leur cœur. Et inlassablement, ils prennent une grande inspiration par le nez puis, en rythme, laissent sortir d'interminables «aoummmmmmmm» de leur bouche. Et c'est comme si les sons continuaient de vibrer longtemps dans l'air. Je ne sais pas depuis combien de temps ils font ça, mais ils continuent un petit moment devant nous. C'est incroyable le souffle qu'ils ont, et en particulier le vieillard! Charlie et moi essayons de faire comme eux, mais en silence, bien sûr. Et tandis que nous devons rapidement reprendre notre souffle, eux continuent d'expirer leur «aoummmmmm»!

Soudain, le vieil homme ouvre les yeux et dit quelque chose qui ressemble à «nadi sudi». Les enfants ouvrent aussitôt les yeux à leur tour et baissent les bras. D'un même mouvement, ils bloquent leur narine droite avec leur pouce droit, posent l'index et le majeur sur leur front et inspirent de la narine gauche pendant que le vieillard compte jusqu'à sept. Ensuite, ils bloquent leur narine droite avec l'annulaire et l'auriculaire. Le vieil homme compte jusqu'à vingt-huit tandis que les enfants retiennent leur souffle, les deux narines bloquées. Puis, il compte jusqu'à quatorze pendant que les enfants expirent par leur narine droite, le pouce levé. Ils refont ensuite la même chose en commençant par inspirer par la narine droite. Ils poursuivent ainsi en alternant les narines pendant plusieurs respirations. Encore une fois, Charlie et moi essayons de les imiter. Mais il nous est impossible de retenir notre souffle pendant vingt-huit secondes. Ces enfants ont sûrement un pouvoir magique ou quelque chose du genre !

Cette hypothèse m'est confirmée quand ils font un autre étrange exercice, que le vieillard appelle *kapalab-hati*. Tandis qu'il compte, les enfants soufflent bruyamment par le nez tout en rentrant, puis en sortant le ventre. Très bizarre! Puis, ils inspirent longuement avant de retenir complètement leur respiration pendant très longtemps. Charlie et moi n'essayons même pas de faire cet exercice: ça a l'air bien trop compliqué!

Enfin, les enfants changent de position. Je suis content qu'ils arrêtent leurs exercices. Sauf qu'en fait, ce n'est malheureusement pas terminé... Ils se couchent sur le dos, bras et jambes légèrement écartés du corps. Le vieil homme a appuyé sur un transistor et une musique très douce en sort. Il commence à parler très lentement tout en marchant entre les enfants : « Concentrez-vous sur votre respiration et laissez-vous flotter sur le sol comme si vous étiez dans l'eau. Laissez votre corps se détendre et se libérer de toutes ses tensions. Nous allons détendre chaque partie de votre corps pour la bénir et la remercier pour tout le travail qu'elle accomplit. Commençons par les pieds. Sentez votre souffle descendre jusque dans vos pieds. Détendez vos dix orteils, vos voûtes plantaires, vos talons, vos pieds. *Om shanti, shanti, shantiiiii*. Maintenant, détendez vos jambes : chevilles, mollets, genoux et cuisses. *Om shanti, shanti, shantiiiii.* »

Il chante cette dernière phrase étrange. Puisque Charlie s'est couchée comme les enfants, qu'elle a fermé les yeux et qu'elle s'est mise à faire ce que le vieillard dit, alors je fais pareil. Après la relaxation des jambes, c'est au tour du bassin, des fesses, du pubis. Puis, du ventre, du dos, des bras…

Je me sens tellement bien que je me laisse bercer par la voix grave du vieil homme et la douce musique. La voix me paraît de plus en plus lointaine, comme si elle s'éloignait. Ma respiration est calme et profonde. J'ai envie de dormir. Et je crois bien que c'est ce que je fais.

Soudain, j'entends des cris étouffés. Une main me secoue le bras. J'ouvre les yeux et je hurle, ce qui déclenche d'autres hurlements. Debout autour de mon corps allongé dans l'herbe se tient la bande d'enfants, qui me dévisagent. Certains crient, gesticulent ; d'autres ont les mains sur les hanches et froncent les sourcils, l'air pas du tout contents. Plusieurs appellent le vieil homme :

— *Taattaa* ! *Taattaa* ! Viens vite ! Viens voir ce qu'on a trouvé, grand-père !

Moi, je n'ose plus respirer. J'ai cessé de crier et je me concentre pour retenir mes larmes... car j'ai très envie de pleurer. Mais je ne veux pas que Charlie ou les autres enfants se moquent de moi. À ce moment, j'entends la voix de ma cousine.

— On va tout vous expliquer. Laissez-nous vous expliquer, dit-elle avec des trémolos dans la voix, comme si elle aussi se retenait de pleurer.

Mais les enfants continuent de crier et de nous faire les gros yeux.

— Reculez, les enfants, dit le vieil homme en s'approchant.

Ils lui obéissent sans broncher.

— Allons nous asseoir à l'ombre de ces arbres, reprend-il en désignant trois gros érables. Ces jeunes gens pourront alors nous expliquer ce qu'ils font chez nous, cachés dans les hautes herbes.

CHAPITRE 9

Quand tout s'éclaire, tout est clair !

Escortés par la bande d'enfants qui nous encerclent en se parlant dans leur étrange langue, Charlie et moi suivons le vieil homme. C'est vraiment dérangeant de ne pas comprendre ce qu'ils disent. Peut-être se mettent-ils d'accord sur les tortures à nous infliger ? Ou sur le sort à nous jeter…

Mes jambes tremblent, complètement flagadas. De grosses gouttes de
sueur dégoulinent le long de mon dos
et de mon visage. Ma respiration est
aussi saccadée que si je venais de courir
un marathon. J'ai tellement chaud! Je
suis tellement stressé! Que leur dirons-
nous? Comment leur expliquer notre
présence sans les fâcher? Comment
nous sortirons-nous de cette histoire?
Et vivants?

Sous les arbres, le vieil homme
nous fait tous asseoir: Charlie et moi
au centre, à ses côtés, et les autres en
demi-cercle autour de nous.

— Très bien, dit-il en se raclant la
gorge. Lequel de vous deux veut commencer? Lequel sera assez gentil pour
nous dire ce que vous faisiez là, les

enfants ? demande-t-il en nous regardant droit dans les yeux, Charlie et moi.

Ses yeux sont brun foncé avec des reflets couleur miel. C'est drôle, mais je trouve son regard souriant, même s'il ne sourit pas. Son regard invite à parler. Mais je suis bien trop gêné et mal à l'aise pour prendre la parole. Je ne sais pas quoi leur dire. Je me tourne vers ma cousine avec un air suppliant. À mon grand étonnement, son visage se fend d'un grand sourire et elle me fait signe de la tête qu'elle accepte de s'expliquer. Mon soulagement est si profond que je pousse un long soupir sonore.

— On dirait bien que ce jeune homme se dégonfle, à l'entendre ainsi soupirer, dit le vieillard en faisant rire toute l'assistance.

Mes joues deviennent rouge écarlate et j'ai encore plus chaud. Si ça continue, je finirai par fondre sur place, tel un bonhomme de neige au printemps !

— Mon cousin est très timide, explique Charlie en rigolant elle aussi, ce qui m'énerve profondément. Il s'appelle Paul, mais tout le monde l'appelle Paulo. Il habite à deux maisons d'ici. C'est donc votre voisin. Moi, je suis Charlie, sa cousine, et j'habite à Montréal.

— J'aurais juré que vous étiez jumeaux, lance le garçon aux cheveux ébouriffés.

Les autres approuvent.

— Non, nous sommes juste cousins, répond Charlie. Et je suis en vacances dans sa famille.

— D'accord, mais que faites-vous chez nous, sur notre terre, dans notre forêt? demande un ado qui a l'air d'un dur à cuire.

— Bon... alors... heu..., balbutie Charlie avant de se lancer à l'eau. Il faut que vous sachiez que la maison que vous avez achetée est abandonnée depuis de nombreuses années. Et beaucoup d'histoires circulent à son propos.

— Quel genre d'histoires? s'enquiert la belle Nila, intriguée.

Elle est encore plus belle de près. La plus belle fille que j'aie jamais vue, je crois.

— Oh! Vraiment toutes sortes d'histoires plus étranges les unes que les autres, répond Charlie en frissonnant.

Des histoires de loups-garous, de meurtres, de folie ou de voleurs.

Charlie fait une pause et regarde son public en silence. Que fait-elle donc ? Personne n'interrompt le silence. Chacun attend la suite. Nous voyons à l'expression de Charlie qu'elle s'apprête à révéler quelque chose d'important.

— Quand Paulo m'a appris qu'il avait de nouveaux voisins – c'est-à-dire vous –, reprend-elle, on a décidé de venir vous prévenir à propos de la maison.

— En vous cachant dans les bois ? demande Shanti, la grande ado, qui ne semble pas nous croire. Et en ronflant pendant notre séance de yoga ?

— Quoi ? On a ronflé ? m'exclamé-je sans réfléchir.

— Oui, et très fort en plus. C'est d'ailleurs comme ça qu'on vous a découverts, explique la ravissante Nila.

Je comprends à présent. Que va donc pouvoir dire Charlie pour nous sortir de là ?

— Eh bien, on ne voulait pas interrompre votre séance de yoga, alors on a attendu. Et apparemment, on s'est endormis, rigole Charlie.

Les enfants se regardent en dodelinant de la tête de droite à gauche. Plusieurs semblent nous croire. Mais pas les ados, qui nous dévisagent encore avec méfiance.

— Très bien, dit le grand-père. Alors, vous vouliez nous prévenir que notre maison est peut-être hantée et que nous risquons éventuellement d'y devenir fous. Je vous remercie sincèrement pour cette attention. Mais maintenant, j'aimerais bien savoir pourquoi vous êtes venus ici aussi souvent, nous demande-t-il, les yeux brillants de malice.

Ça y est, j'ai à nouveau très chaud. Mon cerveau est en ébullition. Le vieil homme nous avait donc bel et bien découverts l'autre jour. Et c'est pour nous qu'il s'est mis à parler en français, pas pour les esprits des lieux. Il savait qu'on était là et il voulait qu'on comprenne.

Je réfléchis à toute allure. Les idées se bousculent dans ma tête. Si le vieil homme avait voulu nous faire du mal, il nous aurait démasqués sur-le-champ. Mais au contraire, il a tenu notre présence secrète. C'est bon signe, d'après moi. Je commence à être un tout petit peu rassuré. Mes nouveaux voisins forment donc une grande famille, puisque tous les enfants appellent le vieillard «grand-père», *taattaa* dans leur langue. Une famille qui s'habille étrangement, avec des vêtements bizarres très colorés. Cette famille fait du yoga, marche sur le feu, sacrifie des animaux à des dieux étranges… Elle a aussi beaucoup de souffle et parle une drôle de langue. Mais d'où viennent donc ces gens?

Cette question me trotte dans la tête depuis des jours. C'est maintenant l'occasion parfaite pour connaître la réponse. Alors, avant de changer d'avis, j'explique d'une traite:

— On voulait savoir d'où vous veniez et qui vous étiez. Vous savez, ici, il n'y a personne qui vient d'ailleurs. Je veux dire d'un pays étranger. À part peut-être mes amis Godefroy et Juliette mais, eux, ils ont été adoptés d'Haïti et de Chine quand ils étaient bébés. Alors, quand j'ai découvert que la maison rouge était habitée, j'ai fait un tour ici. Oui, je sais, je suis curieux et c'est un vilain défaut, paraît-il, avoué-je en baissant les yeux.

Les enfants rient et Shanti lance joyeusement :

— J'en connais beaucoup, des curieux, parmi nous ! Pas vrai, *taattaa* ?

Les enfants et leur grand-père rient de plus belle. Alors, je continue à leur raconter mon histoire. Enfin, presque toute mon histoire. Je leur cache que j'ai pris leurs pères pour des trafiquants et que je croyais qu'ils seraient eux-mêmes vendus en esclavage. Quelle idée quand j'y repense! Je suis bête parfois… Par contre, l'atmosphère est tellement détendue à présent que je leur avoue les avoir pris pour des sorciers. Tout le monde éclate de rire, moi y compris. On rit tant qu'on en pleure.

Quand nous réussissons à retrouver notre calme après ces longs fous rires, le grand-père nous présente ses petits-enfants.

— Voici les enfants de mon fils Udhayasuriyan et de sa femme, Anandi: Mugilan, 9 ans, et Oli (celui aux cheveux en bataille), 12 ans, sont leurs fils. Et Nila, 11 ans, est leur fille.

Les enfants nous saluent d'un sourire à tour de rôle.

— Et eux, reprend le grand-père, ce sont les enfants de mon fils Selvan et de ma bru Malar : mes petits-fils Suriyan, 8 ans, et Puli, 14 ans, et mes petites-filles, Sindhu, 10 ans, et Shanti, 15 ans. Quant à moi, je me nomme Adhavan. Je suis enchanté de faire votre connaissance, chers jeunes gens. Mais il se fait tard et je commence à avoir très faim. Si vous voulez bien nous faire l'honneur de vous joindre à nous, j'aimerais vous inviter à dîner.

— À dîner ? s'exclame Charlie avec étonnement.

— Pardon, « à souper », comme vous dites au Québec, se reprend le vieil homme en riant. Alors, est-ce que mon invitation vous tente ?

Nous acceptons avec grand plaisir. Il ne reste qu'à espérer que mes parents soient d'accord. Nous nous dirigeons tous vers la maison dans la bonne humeur. De délicieuses odeurs de nourriture me mettent l'eau à la bouche.

Nous sommes présentés aux parents des enfants, qui nous accueillent chaleureusement. Mes parents acceptent que nous soupions à la maison rouge, même s'ils sont tout étonnés d'apprendre qu'ils ont de nouveaux voisins. Je leur promets de leur raconter comment nous les avons rencontrés. Ce sera une drôle et longue histoire!

Épilogue

C'est ainsi que, sans même bouger de mon village, je passe finalement un incroyable été à voyager dans ma tête en compagnie de mes nouveaux amis voisins. Des voisins qui ne sont ni trafiquants, ni sorciers, ni membres d'une secte, ni même Indiens… Enfin, pas vraiment. En fait, ils viennent de l'île de La Réunion. C'est pour cette raison qu'ils parlent le français, comme nous. Car même si cette île est située entre l'Afrique et l'Inde, dans l'océan

Indien, elle est un territoire de la France. Mes voisins sont des Tamouls. C'est un peuple qui vient d'une région de l'Inde appelée le Tamil Nadu. Comme la plupart des Tamouls, mes voisins pratiquent l'hindouisme, une des plus vieilles religions du monde, originaire d'Inde. Leur manière de s'habiller et leur langue proviennent également d'Inde. Ma cousine avait presque vu juste. Je dis « presque » parce que mes voisins n'ont jamais mis les pieds en Inde. Ni le vieillard, ni son père, ni même son arrière-grand-père. En effet, leurs ancêtres sont arrivés d'Inde sur l'île de La Réunion vers les années 1850 pour travailler dans les champs de canne à sucre. Ils allaient y remplacer les esclaves. Ils s'y sont établis et ont fondé leurs familles. Voilà pourquoi ils ressemblent à des Indiens, s'habillent, parlent, mangent et prient comme eux, mais parlent aussi le français.

Ma cousine Charlie a prolongé son séjour chez nous de dix jours. Dix jours que nous avons passés en compagnie de mes voisins tamouls, parfois chez moi, mais le plus souvent chez eux. Depuis qu'elle est partie, nous conversons régulièrement avec elle par ordinateur ou téléphone intelligent. Elle devrait revenir nous voir cet automne. Nous avons tous hâte de la revoir.

Ma maison est presque prête et je dois dire que ça valait finalement la peine de faire tous ces travaux. Elle est encore plus belle qu'avant !

Dans quelques jours, ce sera déjà la rentrée. L'été a passé bien trop vite! Mais pour la première fois, je me réjouis. J'aurai tellement d'histoires à raconter! Et de nouveaux amis à présenter à toute l'école.

Finalement, elles sont vraiment chouettes, mes vacances à la maison!

L'éducation
en cadeau

Un ami pas comme les autres

« Je sens que la nuit va être longue », soupire Carlos, étendu dans son lit. Voilà des heures qu'il tourne et se retourne à la recherche d'une position confortable. Malgré sa fatigue, il n'arrive pas à s'endormir. Son cerveau ne veut pas s'arrêter de penser. De penser à la fameuse journée qui l'attend demain. Car, demain, son meilleur ami, Jason, fêtera son onzième anniversaire. Et les fêtes d'anniversaire de Jason sont toujours, mais alors là *vraiment toujours*, inoubliables.

Il faut dire que Jason vient d'une famille plutôt riche et qu'en plus, il a la chance d'être enfant unique. Du coup, ses parents le gâtent beaucoup (beaucoup trop, selon certains). Carlos adore aller jouer chez Jason. Il y a un cinéma maison, une salle d'entraînement et une grande piscine avec un plongeoir et une glissade. Et en plus d'une grande chambre bien remplie, Jason a aussi une immense salle de jeu qui ressemble à un véritable royaume des jouets. Les deux garçons y passent des heures à s'inventer des missions top secrètes.

La chance de Jason ne s'arrête pas là. Car en plus d'être riche et gâté, il est plutôt beau. Avec ses grands yeux bleus aux longs cils, sa chevelure blonde et bouclée et son physique athlétique (il fait partie des équipes de soccer et de natation de l'école), il fait rêver secrètement plus d'une fille. En fait, on peut dire sans se tromper que Jason est l'un des garçons les plus populaires de l'école. Tout le monde veut être l'ami de Jason Thibault.

Et ce, malgré son caractère d'enfant gâté. Parce que même s'il est gentil et souvent généreux, Jason est ce qu'on peut appeler un « enfant roi ». Tyran sur les bords, il obtient toujours ce qu'il désire, ou presque. Pour arriver à ses fins, il use autant de son charme

que de larmes ou de menaces. Avec ses parents, ça fonctionne à tous les coups. Ils ne lui refusent jamais rien, ou alors très rarement. Quand ils hésitent, Jason ne se gêne pas pour faire du chantage, piquer des crises ou bouder jusqu'à ce qu'ils finissent par céder à ses caprices.

Auprès de ses amis aussi, Jason fait régner sa loi. Généralement, ça fonctionne très bien. Même si avec ses amis, il a plutôt tendance à ordonner qu'à demander. Ce qui lui a d'ailleurs valu le surnom de « Jason-j'ordonne ». À la récré, c'est lui qui décide des jeux ; lui qui forme les équipes ; lui qui modifie les règles, comme bon lui semble, pour toujours avoir l'avantage. Carlos sait que plusieurs de ses amis obéissent à Jason uniquement pour être dans ses bonnes grâces, et ainsi profiter de sa popularité, surtout auprès des filles.

Mais Carlos n'est pas comme ça. Les filles ne l'intéressent pas trop ; à part, peut-être, la belle Mégane. Mais ça, c'est son secret. S'il est parfois envieux de la vie de Jason, il n'hésite cependant pas à remettre son ami à sa place quand celui-ci exagère. Ce qui est souvent le cas ! C'est d'ailleurs grâce à cette franchise qu'ils sont des amis inséparables.

À part Carlos, les seuls avec qui la tactique de Jason-j'ordonne ne fonctionne absolument pas, ce sont les enseignants. Eux s'en fichent royalement que Jason se fâche, pique une crise ou boude. Ils l'envoient alors chez madame la directrice ou le gardent en retenue après les cours. Ce qui est plutôt fréquent ! Jason est abonné aux retenues et connaît par cœur le chemin qui mène de sa classe au bureau de la directrice.

Il y a une chose que Carlos envie particulièrement à son ami : ses innombrables voyages. Lors de toutes les vacances scolaires, ou presque, ses parents l'emmènent aux quatre coins du monde. Jason a ainsi visité des grandes villes comme Paris, New York, Londres ou Barcelone ; des îles tropicales aux noms exotiques telles que Cuba, la Martinique ou la Jamaïque ; et des villages de montagne reconnus pour leur station de ski, dont Chamonix, Whistler ou Lake Tahoe. Toutes ces destinations font rêver Carlos, lui qui désire secrètement devenir un grand explorateur. Ou un agent secret ; mais un agent secret qui voyagerait.

Sans hésitation, sa première destination serait la Colombie, où sont nés ses parents. Depuis qu'il est tout petit, il entend parler de ce magnifique pays, où se côtoient océan et jungle, montagnes et plaines, villages pittoresques et grandes villes. La Colombie, où l'on danse la cumbia dès que l'occasion se présente, où l'on vit au rythme du soleil et où l'on se gave de fruits tropicaux. Carlos rêve aussi de rencontrer sa famille. Il ne connaît que sa grand-mère maternelle, qui vient leur rendre visite tous les deux ou trois ans, et un oncle paternel. Alors qu'en Colombie, des dizaines de cousins et de cousines, des oncles, des tantes et des grands-parents l'attendent. Une immense famille chez qui il aimerait tant passer des vacances.

Malheureusement, Carlos sait trop bien qu'il y a fort peu de chances que ça se produise. Contrairement à Jason, sa famille à lui est loin d'être riche. Sa mère les élève seule, son petit frère Antonio et lui. Leur père est mort dans un accident de voiture quand Carlos venait d'avoir deux ans et Antonio, six mois.

Comme sa mère a été obligée de quitter l'école jeune pour travailler et s'occuper de ses nombreux frères et sœurs, elle veut que ses enfants reçoivent une bonne éducation. « Pour que votre vie soit plus facile que la mienne », leur répète-t-elle souvent. Alors, elle travaille beaucoup pour envoyer ses deux fils à l'école privée. C'est le seul luxe que la famille peut se permettre. Leur petit appartement du troisième étage, sans ascenseur, est situé dans un quartier ouvrier. Carlos et Antonio partagent la même chambre, tandis que leur mère dort dans le salon. Chaque matin, elle replie le divan-lit et sa chambre redevient salon.

« C'est quand même spécial que Jason soit mon meilleur ami. Nos vies sont *si* différentes ! Un des plus riches et le plus pauvre de l'école… Drôle de duo ! » se dit souvent Carlos.

Alors, quand la fête d'anniversaire de son meilleur ami approche, Carlos s'en réjouit des jours à l'avance.

Chaque année, la journée est mémorable. Les enfants en parlent jusqu'à la fin de l'année scolaire, un mois plus tard. Une fois, il y avait trois immenses jeux gonflables dans la cour et de la barbe à papa et des pommes de tire. L'année suivante, les parents de Jason avaient fait venir un petit cirque, avec des singes, des poneys sur lesquels on pouvait se promener, des clowns et un magicien. Une autre année encore, la fête avait été organisée sous le thème de Harry Potter. Et l'an dernier, pour ses dix ans, ça a été la plus incroyable des fêtes de Jason. Un groupe rock est venu donner un concert privé dans la cour des Thibault. Chaque invité est reparti avec un tee-shirt, une affiche, un disque et des autographes du groupe. On en parle encore à l'école.

Carlos se demande bien à quoi ressemblera la fête de demain. Y aura-t-il une thématique particulière ? Des invités spéciaux ? La traditionnelle chasse au trésor ? Une chose est sûre : cette journée sera fantastique.

Le garçon finit par s'endormir la tête pleine d'images de ballons colorés, de bougies soufflées, de montagnes de cadeaux et de rires d'enfants.

CHAPITRE 2

L'anniversaire de Jason

Depuis son réveil, Carlos trépigne d'impatience. Les minutes semblent tourner au ralenti, comme si le temps avait décidé de faire durer indéfiniment son attente. Le cadeau de Jason est emballé et sa carte, terminée. La chambre de Carlos est rangée, son linge plié, son dîner englouti et la vaisselle faite. Il ne lui reste maintenant qu'à attendre l'heure du départ.

Enfin, sa mère lance le signal tant espéré :

— *Carlito, vamonos*[1] !

À la vitesse de l'éclair, Carlos empoigne le cadeau de Jason et se précipite vers la porte.

— Je suis prêt, *mamita*[2]. Mais… pourquoi est-ce que tu me donnes mon sac d'école ? Je n'en ai pas besoin ; je m'en vais à un anniversaire, lui dit-il en fronçant les sourcils.

— Ce sont les instructions que j'ai reçues, répond sa mère avec un sourire malicieux. Tu dois avoir des habits de rechange, des bottes de pluie, un pyjama, une lampe de poche et un sac de couchage.

---

1. « Petit Carlos, allons-y ! » en espagnol.
2. « Maman » ou « petite maman » en espagnol.

— Ça veut dire que je vais dormir là-bas ! Youpi ! s'exclame Carlos, sautant de joie.

— La seule chose que je peux te dire est que je reviens te chercher chez Jason demain vers seize heures.

— Trop *cool* ! s'enthousiasme Carlos. Une fête de deux jours. Ça va être génial !

— Et si tu ne veux rien manquer, on ferait mieux d'y aller, *mi corazón*[3].

— Alors, en route, maman ! lance-t-il en déboulant les escaliers.

Pendant le trajet, sa mère lui donne mille et un conseils. Carlos acquiesce, un peu exaspéré. Arrivé à destination, il l'embrasse, lui promet de bien se comporter et lui souhaite une bonne fin de semaine avant de filer rejoindre ses amis.

---

3. « Mon cœur » en espagnol.

— Salut! Alors, Jason, où est-ce qu'on va? demande-t-il, très curieux.

— Aucune idée, mon ami, répond Jason en haussant les épaules. Cette année, mes parents m'ont organisé une fête-surprise. Je n'en sais pas plus que vous.

— Quoi? Tu ne le leur as pas demandé? s'exclame Miguel, un copain de classe, tout étonné.

— Oh que si! Tu peux me croire, je n'ai pas arrêté de leur poser des questions. Mais ils n'ont rien voulu me dire. Comme vous, je sais seulement que la fête durera jusqu'à demain après-midi.

— C'est excitant! dit Carlos. Une fête-surprise dans un lieu-surprise.

— Et connaissant tes parents, on ne risque pas de s'ennuyer. Peu importe où on va être! ajoute Dylan.

Bientôt, ils sont une bonne quinzaine d'enfants dans la cour des Thibault. Tous ont bien hâte d'en savoir plus sur la fameuse fête. Quand soudain un petit autobus scolaire fait son entrée, ils se mettent à sauter de joie et à crier. Dans un joyeux brouhaha, ils saluent les parents de Jason, qui ne seront pas du voyage, puis se bousculent pour monter dans l'autobus.

Durant tout le trajet, les enfants chantent, rient et se demandent où ils se dirigent. Une heure plus tard, après bien des chansons, ils ont enfin la réponse. L'autobus s'arrête devant un immense chalet situé au bord d'un lac en plein cœur d'une forêt.

La troupe est accueillie par trois jeunes gens pleins d'entrain.

— Salut, les amis! Soyez les bienvenus au Camp La perle du lac! lance gaiement un jeune homme. Je m'appelle Diego, et voici Sandrine et Mélanie. Nous serons vos animateurs pour la fin de semaine.

— Salut! répondent les enfants en chœur.

— Nous avons un horaire chargé pour vous, reprend Diego. Alors, pas de temps à perdre! Allez vite déposer vos sacs dans les dortoirs et on se retrouve ici dans dix minutes.

Sans se faire prier, les enfants se ruent dans le chalet en suivant Sandrine et Mélanie. Ils découvrent deux immenses dortoirs remplis de lits à deux étages: l'un pour les filles, l'autre pour les garçons. Chacun choisit son lit et y dépose ses bagages, puis retourne au point de rendez-vous.

— Pour commencer, explique Sandrine, nous vous avons organisé une chasse au trésor dans la forêt. Vous serez cinq équipes de trois personnes.

— J'espère qu'on pourra former nous-mêmes nos équipes, lance Jason avec son habituel ton autoritaire.

— Bien sûr. Vous choisirez vos co-équipiers. L'équipe qui terminera la première méritera le grand prix.

— Qu'est-ce que c'est ? demandent plusieurs enfants.

— Vous verrez bien, bande de petits curieux. Mais ne vous inquiétez pas : il y aura des prix pour tout le monde. À présent, constituez vos équipes.

Quinze minutes plus tard, les cinq équipes et les trois moniteurs sont dans la forêt, prêts à se lancer dans la course au trésor. Le signal est donné. C'est parti! Chaque équipe s'élance au pas de course dans une direction opposée.

Pendant plus d'une heure et demie, les enfants courent à travers bois, grimpent aux arbres, escaladent des rochers à la recherche d'indices. Ils résolvent des énigmes, décodent des rébus et se creusent les méninges pour trouver les réponses qui leur permettront d'avancer. La forêt résonne de cris et de rires.

Comme il fallait s'y attendre, l'équipe de Jason remporte la course. Mais pour une rare fois, Jason a gagné sans tricher ni être avantagé. Il faut dire que ses coéquipiers, Carlos et Mégane, ne l'auraient pas laissé faire.

Quand toutes les équipes ont terminé la course, le petit groupe retourne en direction du chalet pour la remise des prix. Chacun se demande ce que sera le sien: une médaille? des bonbons? un objet? Les suggestions vont bon train.

Carlos est étonné de voir que les moniteurs ne se dirigent pas vers le chalet, mais vers le lac. Étrange… Sur la plage, Diego réclame le silence.

— Vous voyez le coffre sur le ponton ? demande-t-il en pointant l'objet.

Les enfants acquiescent.

— Eh bien, vos prix se trouvent à l'intérieur. À l'équipe victorieuse l'honneur de me suivre.

Intrigués, les trois enfants lui emboîtent le pas.

— Fermez les yeux et tendez les mains ! leur dit Diego d'un ton qui rappelle celui de Jason.

« Tiens, songe Carlos en recevant quelque chose dans les mains, c'est un tissu un peu rugueux… Mais qu'est-ce que c'est ? »

Au signal de Diego, les trois amis ouvrent les yeux. Et les posent sur la serviette qu'ils tiennent entre leurs mains.

— Une serviette ? C'est ça, votre surprise ? s'exclame Jason sans cacher sa déception.

— Pour quoi faire, une serviette ? demande Mégane, les yeux ronds.

— Pour ça ! répond Diego en se précipitant sur les enfants.

Ses deux comonitrices surgissent. Sans trop comprendre ce qui leur arrive, car tout va très vite, Carlos, Mégane et Jason se font arracher leur serviette des mains avant d'être poussés dans le lac. Tout habillés !

Sur la berge, leurs amis hurlent de rire à les regarder se débattre dans l'eau pour atteindre la rive en criant. Mais avant qu'ils aient réussi, les moniteurs poussent tous les enfants à l'eau. On n'entend plus que hurlements, cris, rires et clapotis.

Des rires, il en résonne toute la soirée dans le chalet. Une fois changés, les amis jouent à un jeu de mime où les fous rires s'enchaînent jusqu'au souper. Après leur baignade revigorante et avec cette hilarité, les enfants ont un appétit d'ogre. La soirée se termine autour d'un feu de camp, à griller des guimauves, à jouer de la guitare, à chanter et à écouter les histoires de peur des moniteurs.

Si personne ne rouspète quand vient le temps de se coucher, certains enfants ne sont pas tout à fait rassurés. L'histoire de la Dame blanche que leur a racontée Sandrine leur donne la chair de poule. Même si ce n'est qu'une histoire inventée, quelques-uns ne cessent de penser à cette jeune femme morte noyée dans le lac au siècle dernier et dont le fantôme errerait parfois dans le chalet.

« Et si jamais elle apparaissait ce soir ? songe Carlos, bien emmitouflé dans son sac de couchage. Brrr… J'aime mieux ne pas y penser. » Et pourtant, jusqu'à ce qu'il trouve le sommeil, et même durant une partie de la nuit, c'est bien à la Dame blanche qu'il pense.

CHAPITRE 3

Une avalanche de cadeaux

— Debout, les jeunes! Allez, hop! On se lève, lancent les moniteurs à travers les dortoirs en tapant bruyamment sur des casseroles.

«Quel réveil brutal!» pense Carlos en ouvrant les yeux. Des deux dortoirs, on n'entend que les grognements des enfants et le bruit des casseroles.

— Non, mais ça va pas la tête! s'exclame Jason en bondissant de son lit. Vous êtes fous? Ce n'est pas une manière de réveiller les gens. Je vais me plaindre à mes parents et vous allez en entendre parler! les menace-t-il.

Pas impressionnés pour deux sous, les trois moniteurs redoublent d'ardeur. Puis, ils entonnent «Bonne fête, Jason!» aussitôt repris par tous les enfants, qui ont soudainement retrouvé leur bonne humeur. Les filles ont rejoint les garçons et, ensemble, ils encerclent Jason en chantant une chanson après l'autre.

Tout à coup, une voix grave se mêle au chant. Chacun se retourne vers la porte du dortoir, d'où provient la voix. Appuyé contre le cadre de porte, un grand homme aux cheveux bruns ébouriffés et à la peau bronzée chante en souriant. «Qui est-ce? se demande Carlos. J'ai comme l'impression de l'avoir déjà vu... mais où?»

Le petit concert terminé, Jason court sauter dans les bras de l'inconnu.

— Jean-Philippe! s'écrie-t-il.

— Salut, mon grand! lui dit l'homme en le soulevant. Joyeux anniversaire, cher filleul!

Ça y est! Carlos se souvient: cet homme est le fameux parrain de Jason. Carlos l'a souvent vu en photo, mais c'est la première fois qu'il le rencontre en chair et en os. Pourtant, Jason lui en a tant parlé qu'il semble le connaître. Jean-Philippe passe sa vie à voyager pour son travail.

Jason présente chacun de ses amis à son parrain. Celui-ci a un peu la tête qui tourne avec tous ces prénoms à retenir. Quand arrive le tour de Carlos, Jean-Philippe dit :

— Toi, tu es Carlos. Je t'ai déjà vu en photo. Enchanté, jeune homme. Jason m'a souvent parlé de toi.

— Moi aussi, il m'a parlé de vous, répond Carlos en lui serrant la main, heureux qu'il l'ait reconnu.

Une fois les présentations faites, le groupe descend déjeuner. Les crêpes au sirop d'érable et la grosse salade de fruits sont dévorées avec appétit. Pour bien digérer, rien de tel qu'une promenade en forêt suivie d'une excursion en canot sur le lac. Le temps passe

si vite que voilà de nouveau le temps de manger. Hot-dogs, hamburgers et frites font le bonheur des enfants. À la fin du repas, Jean-Philippe réclame le silence :

— Avant de manger le gâteau d'anniversaire – qui risquerait de me faire exploser –, dit-il en se frottant le ventre, nous pourrions donner nos cadeaux à Jason. Qu'est-ce que vous en dites, les jeunes ?

— Bonne idée ! répondent les enfants, qui courent chercher leur présent.

Avec quinze invités, ça en fait des cadeaux à ouvrir ! Carlos espère que le sien plaira à son meilleur ami : un roman d'espionnage qu'il a lui-même adoré. Mais quand il regarde ce que

les autres ont offert – jeux vidéo, vêtements de marque et cartes-cadeaux –,
Carlos trouve soudainement son
cadeau bien maigre en comparaison.
Comme s'il avait lu dans ses pensées,
le parrain de Jason lui donne un coup
de coude et lui demande :

— C'est un livre que tu lui offres ?

— Heu, oui… murmure Carlos, les
yeux baissés sur son paquet.

— Excellente idée ! Moi, j'adore
recevoir des livres. Surtout quand la
personne qui m'en offre a tellement
aimé l'histoire qu'elle veut la partager
avec moi.

— Ah, bon ? dit Carlos, étonné, mais
rassuré.

— Oh oui ! Tu l'as lu, ce livre ?

— Oui. Il est super ! Ce sont des enfants qui sont en fait des espions et qui doivent accomplir une mission top secrète.

— Ça m'a l'air génial.

Quand vient son tour, Carlos est tout content de tendre le paquet à son meilleur ami. Mais comme il s'y attendait, après l'avoir déballé en vitesse, Jason le regarde à peine, lance « *Cool*, merci ! » et passe déjà au cadeau suivant. Carlos soupire.

— Ne t'en fais pas, le rassure Jean-Philippe en lui secouant gentiment la tête. Je suis sûr qu'il est content. Mais disons qu'il est trop pressé de voir tous ses cadeaux pour vraiment apprécier chacun d'eux. Mon filleul est comme qui dirait gâté pourri, lâche-t-il en riant.

Carlos rit avec lui. La présence de Jean-Philippe lui fait du bien. Non seulement il est vraiment gentil, mais en plus il est plutôt comique.

Après avoir déballé tous les présents de ses amis, Jason se tourne vers Jean-Philippe.

— Et toi, mon parrain, est-ce que tu m'as apporté un cadeau ? lui demande-t-il avec empressement.

— Un cadeau ? Quel cadeau ? lance Jean-Philippe, ce qui fait rire tout le monde, excepté Jason. Je te taquine ! Le voilà, ton cadeau, dit-il en sortant une enveloppe de sa veste en jean. Joyeux anniversaire, Jason !

Le garçon déchire l'enveloppe avec impatience, certain d'y découvrir un chèque ou de l'argent. Mais il ne trouve qu'une simple carte. Certes, elle est belle, mais, pour Jason, une carte, ce n'est pas un cadeau. Il s'empresse de l'ouvrir, croyant que l'argent se trouve à l'intérieur. Mais aucun signe d'argent. Seulement un texte. Avec un haussement d'épaules et un profond soupir, Jason se met à lire :

Cher filleul,

Pour tes onze ans, je voulais t'offrir un cadeau inoubliable. Pas un cadeau qu'on offre aux petits de dix ans, mais un cadeau qui plairait même aux grands de dix-huit ans. Je te préviens tout de suite: ce n'est pas une voiture! Ni de l'argent, d'ailleurs.

Jason soupire de nouveau, avant de poursuivre sa lecture.

Pour ton anniversaire, Jason, je t'invite pour un voyage de quatre semaines, cet été, en ma compagnie et en celle d'un ami de ton choix. Tu ne connaîtras la destination qu'une fois dans l'avion. Mais je te promets tout un voyage!

D'ici là, profite de chaque journée et sois reconnaissant de la vie si douce que tu mènes. Je t'aime, mon grand, et me réjouis de voyager avec toi!

Jean-Philippe

— Waouh ! Trop *cool* ! Merci, Jean-Philippe ! Merci beaucoup ! dit-il en se jetant dans les bras de son parrain.

Ses amis les observent en se demandant ce que peut bien contenir la lettre pour le rendre aussi démonstratif et joyeux. Ils n'ont pas à attendre très longtemps. Tout énervé, Jason leur explique que, cet été, il partira en voyage avec son parrain.

— C'est génial, comme cadeau ! lance Jordan. Vous irez où ?

— Aucune idée, répond-il en riant. Je vais le savoir seulement dans l'avion.

— Comme c'est excitant ! Tu vas partir à l'aventure sans savoir où tu vas atterrir, dit Carlos.

— Oui ! Et tu ne sais pas la meilleure ?
lui répond Jason avec un immense
sourire.

— Heu, non. Quoi ?

— Eh bien… Imagine-toi… que…
tu vas être du voyage, toi aussi ! lance
Jason.

— Quoi ?! s'étrangle Carlos, qui
croit avoir mal compris.

— Tu viens avec moi. J'ai le droit
d'emmener un ami. Et ce sera toi.

Carlos n'ose pas croire ce qu'il vient
d'entendre. Il doit rêver. Bientôt, il se
réveillera et se rendra compte que tout
ça n'était qu'un beau rêve. Pourtant, il
sent une grosse main sur son épaule.

— Je suis très heureux de savoir
que tu seras du voyage, Carlos, lui dit

Jean-Philippe. On va passer tout un été. Vous pouvez me croire.

Pour Carlos, le reste de la journée se passe comme s'il était sur un nuage. C'est à peine s'il touche au gâteau de fête tant son estomac est rempli de papillons. Il flotte tellement il est heureux. Depuis le temps qu'il en rêve, il va enfin prendre l'avion et découvrir un autre pays. Comme il a hâte de le dire à sa mère !

Si la plupart des amis sont déçus de remonter dans l'autobus pour rentrer chez Jason, où leurs parents viendront les chercher, Carlos, lui, se réjouit. Le plus vite il sera rentré, le plus vite il pourra partager la nouvelle avec sa mère et son frère. Et commencer à préparer son voyage !

CHAPITRE 4

Le grand départ

— *Carlito*, dépêche-toi un peu ! Tu vas rater l'avion si ça continue, lui lance sa mère depuis la cuisine.

L'estomac grouillant de papillons, Carlos vérifie ses bagages pour la centième fois. Il ne manquerait plus qu'il oublie quelque chose. Ah ! Comme il avait raison de penser que l'anniversaire de Jason serait inoubliable ! Le voilà maintenant à quelques heures de s'envoler vers une destination inconnue.

Dire que, tantôt, il sera confortablement installé dans un avion, en route pour un mois d'aventure quelque part dans le monde. Il meurt d'impatience d'y être, même s'il est passablement stressé. Ce sera non seulement la première fois qu'il prendra l'avion et quittera son pays, mais aussi la première fois qu'il s'éloignera aussi longtemps de sa mère et de son frère. Et bien franchement, il a peur de s'ennuyer d'eux.

Tout en fermant son sac à dos, Carlos se demande où ils atterriront. Jason et lui ont envisagé toutes les destinations possibles et imaginables. La seule chose qu'a bien voulu leur révéler Jean-Philippe, c'est qu'ils iront quelque part où il fera beau et chaud et où il pleuvra. C'était important de le savoir pour faire leurs bagages. Jason est persuadé que son parrain les emmènera dans un bel hôtel d'une station balnéaire. Il se réjouit déjà à l'idée de faire du ski nautique, de la plongée sous-marine et peut-être même du *kitesurf*[4], comme il en rêve. Et il a promis à son ami qu'il l'initierait à tous ces sports nautiques.

Carlos se dit que Jason doit avoir raison. Il connaît les goûts de son parrain. Mais si lui pouvait choisir, ils iraient évidemment en Colombie. Ou alors, ils partiraient faire un safari. Mieux encore : ils feraient une expédition dans la jungle colombienne. Ce serait trop fantastique ! Mais en fait, pour Carlos, peu importe où ils iront ; il part en voyage et c'est ça, l'important. Après,

4. Le *kitesurf*, ou planche aérotractée, est un sport de glisse où le surfeur est tiré par un parachute géant.

il sait qu'il sera heureux n'importe où. Alors, tant mieux si c'est un safari. Et tant mieux aussi s'ils séjournent dans une station balnéaire, comme le croit Jason.

— *Vamonos, Carlito* ! Nous devons partir, et tout de suite, lui dit sa mère en venant prendre sa valise à roulettes.

Carlos jette un dernier regard à sa chambre. Comme il s'apprête à sortir de la pièce, son regard se pose sur Barnabé, son vieil ours en peluche tout usé. Cet ours, il l'a depuis sa naissance et pas une nuit il n'a dormi sans lui. Devrait-il le prendre ou non ? Carlos hésite. Jason risquerait de se moquer de lui… En plus, il pourrait le perdre…

— *Carlito* ! *Ahora*[5] ! se fâche sa mère.

---

5. « Maintenant ! » en espagnol.

Carlos prend la peluche, la serre fort contre son cœur et lui murmure : «Veille bien sur maman et Tonino. Je te les confie.» Puis, il saisit son sac à dos et court rejoindre sa famille.

— Hé! Tonino! Tiens, je te prête Barnabé pour l'été. Tu as intérêt à prendre bien soin de lui, dit-il en tendant la peluche à son petit frère.

Le sourire fendu jusqu'aux oreilles, Antonio se saisit de l'ours, puis saute au cou de son frère.

— Oh, merci, Carlos! Tu vas me manquer. Vraiment beaucoup… dit-il, les larmes aux yeux.

— *Vamonos, vamonos*[6] ! crie à présent leur mère.

---

6. «Allons-y, allons-y» en espagnol.

Les deux frères se sourient et courent jusqu'à la voiture.

Le trajet paraît interminable à Carlos. Et comble de malheur, il y a beaucoup de circulation. Carlos déteste le trafic, car sa mère perd facilement patience au volant et s'énerve. Et comme aujourd'hui elle est déjà tout énervée par son départ, le trafic n'aide pas son humeur. Elle n'arrête pas de répéter que, si ça continue comme ça, Carlos va rater son avion. Le garçon prie en silence pour qu'ils arrivent à temps. Il ne faudrait quand même pas qu'il rate la chance de sa vie !

Enfin, l'aéroport apparaît au loin. Le cœur de Carlos se met à battre plus rapidement. Plus ils approchent, plus il frétille sur son siège, gagné par une vive excitation. Il entend sa mère lui donner ses éternels conseils; mais, à vrai dire, il est bien trop énervé pour l'écouter.

La voiture stationnée, ils se dirigent au pas de course vers le terminal des départs. Carlos et Antonio sont impressionnés par la foule de voyageurs. Il y a tant de monde, tant de bruits, tant d'agitation qu'ils se sentent étourdis.

Soudain, Carlos pousse un hurlement, ce qui a pour conséquence de faire hurler son frère et sa mère.

— On se calme, les amis, lance joyeusement Jason, fier de son coup. Je voulais juste te faire faire un petit saut.

— Tu n'es vraiment pas drôle, ronchonne Carlos.

Jason se fait un peu gronder par ses parents, qui se confondent en excuses auprès de la mère de Carlos. L'incident est vite oublié et tout le monde retrouve sa bonne humeur. Tandis que le petit groupe fait la file pour enregistrer les bagages, la mère de Carlos pose mille et une questions à Jean-Philippe. Il lui répond patiemment et lui promet qu'il prendra soin de son fils comme si c'était le sien.

Une fois les valises enregistrées, il est temps de se dire au revoir. Le moment est rempli d'émotion. Carlos a le cœur gros malgré l'excitation qui l'habite. Il se colle contre sa mère, qui manque de

— Est-ce qu'on va passer nos vacances en France? interroge Jason avec un brin de déception dans la voix.

— Tu verras bien. Patience, mon grand, répond Jean-Philippe.

— Comme dirait ma mère, tout vient à point à qui sait attendre, ajoute Carlos.

— Exactement! sourit Jean-Philippe.

Dans l'avion, le parrain de Jason doit insister pour que celui-ci laisse Carlos s'asseoir à côté du hublot. C'est quand même la première fois que son ami prend l'avion. Il serait normal de lui laisser la chance de regarder par la fenêtre. Mais ça ne semble pas faire l'affaire de Jason, qui se met à bouder. L'attitude d'enfant gâté de son filleul commence à exaspérer Jean-Philippe.

Carlos se sent encore plus énervé qu'il ne l'a été de toute la journée. Son cœur bat la chamade quand l'avion se met à rouler. Au moment du décollage, lorsque l'appareil quitte la piste et entame sa montée vers le ciel, il empoigne les accoudoirs et les serre si fort qu'il en a les mains tout engourdies. Il retient son souffle. Le nez collé au hublot, il regarde la ville s'éloigner sous eux, devenant rapidement de plus en plus petite. Une foule d'émotions l'assaillent : il a envie de rire, de crier, de pleurer, etc. Peut-être qu'il n'aurait pas dû accepter ce voyage… Mais à présent, il est trop tard pour faire marche arrière !

CHAPITRE 5

Un voyage qui n'en finit plus !

Le vol vers Paris se déroule très bien. Carlos a fini par retrouver son calme et s'est détendu. Sauf quand l'avion est secoué par des turbulences. Dans ces moments, il s'agrippe à son siège et retient son souffle jusqu'à ce qu'elles se calment.

Les sept heures et quelques que dure le trajet passent très vite. Entre les repas, les films à visionner, les jeux sur la console portative de Jason et la petite sieste imposée par Jean-Philippe malgré leurs plaintes, le temps d'atterrir est venu.

Arrivés à Paris, les garçons bombardent Jean-Philippe de questions. Mais celui-ci reste aussi mystérieux et avare d'informations.

— J'en ai marre de ne pas savoir où on va, à la fin, ronchonne Jason. C'est fatigant !

— Arrête de te plaindre ! lui lance son parrain. Fais comme Carlos et sois heureux de vivre cette aventure.

— Facile à dire pour toi : tu sais où tu nous emmènes !

— J'espère bien qu'il le sait ! dit Carlos à la blague.

Les trois rigolent de bon cœur, puis se mettent en marche. Les garçons suivent Jean-Philippe dans les dédales de l'aérogare. Jason avait raison : l'aéroport de Paris est beaucoup plus grand que celui de Montréal. Carlos ne sait plus où donner de la tête. Il est étourdi par cette foule si colorée qui semble venir des quatre coins du monde. Après une longue marche, le trio s'arrête sous un tableau électronique indiquant les prochains départs.

Les deux garçons se regardent en souriant, les yeux brillants.

— On ne reste pas à Paris ? On prend un autre avion ? demande Carlos avec empressement.

— Eh oui ! répond Jean-Philippe.

— *Cool*, se réjouit Jason. On va où, alors ?

— Pas question que je vous le révèle maintenant ! Nous allons devoir patienter un certain temps. Assoyons-nous là-bas, dit-il en désignant une aire d'attente.

Les yeux levés vers le tableau, les garçons lisent les destinations, se demandant laquelle sera la leur : Kuala Lumpur, New Delhi, Athènes, Rome, Londres, Genève, Oulan-Bator, Tokyo… La liste est longue et les possibilités, si nombreuses. Certains départs sont dans plusieurs heures et les garçons se demandent combien de temps ils devront patienter avant de se retrouver de nouveau dans un avion.

DÉPARTS

HORAIRE	DESTINATION	VOL	PORTE
14:45	KUALA LUMPUR	BA 903	E21
14:50	NEW DELHI	AF 997	E12
15:05	ATHÈNES	AA 576	E32
15:15	ROME	BA 278	E56
15:30	LONDRES	C 5632	E24
16:10	GENÈVE	D 7823	E35
16:25	OULAN-BATOR	AA 456	E47
17:35	TOKYO	BF 642	E26

L'attente est longue. Les garçons parlent, jouent sur la console, se promènent dans les boutiques. Mais le temps semble avoir ralenti. Heureusement, Jean-Philippe les emmène manger et leur raconte toutes sortes d'anecdotes de voyage. Carlos est impressionné par les endroits que cet homme a visités. On dirait qu'il a été partout.

— Bon, il est l'heure de se diriger vers la zone d'embarquement, leur annonce Jean-Philippe.

L'excitation envahit encore une fois les garçons. Un coup d'œil au tableau leur montre qu'il est impossible de connaître leur destination tant il y a de départs prévus. La longue marche à travers l'aérogare recommence.

Arrivés dans la zone d'embarquement, les deux garçons se regardent, surpris.

— Heu… est-ce qu'on va en Afrique ? demande Carlos en regardant autour de lui.

La plupart des passagers dans la zone ont la peau noire et plusieurs sont habillés à la mode africaine. Ils parlent fort et gesticulent beaucoup.

— Bravo ! Tu as deviné le continent. Mais dans quel pays ?

— Quoi ! On va en AFRIQUE ? lance Jason, qui n'en croit pas ses oreilles. Mais pour quoi faire ? C'est pauvre, l'Afrique, et dangereux, et c'est désertique, en plus…

— Tu me décourages parfois, cher filleul, répond Jean-Philippe en secouant
la tête. L'Afrique est un continent
magnifique, que je me réjouis de te faire
découvrir. Alors, avez-vous deviné le
pays?

Jason hausse les épaules et boude
une fois de plus, tandis que Carlos lit:

— Nouakchott… Conakry… Je
n'ai aucune idée dans quels pays se
trouvent ces villes. Tu le sais, toi?
demande-t-il à son ami.

— Aucune idée, et je ne suis pas sûr
de vouloir le savoir. Ça ne me dit rien,
l'Afrique.

— Voyons! s'étonne Carlos. C'est
pourtant en Afrique qu'on fait des safa-
ris. On va peut-être en safari, lance-
t-il, plein d'espoir.

Jason dodeline de la tête. C'est vrai que ce serait génial de faire un safari.

— Nouakchott est la capitale de la Mauritanie et Conakry, celle de la Guinée, explique Jean-Philippe tandis qu'ils embarquent dans l'avion.

— Et on va en Mauritanie ou en Guinée ? demande Carlos, les yeux pétillants.

— Ce sera la surprise ! répond l'homme en s'assoyant.

Bien vite, l'avion décolle et les garçons se pressent contre le hublot pour regarder Paris sous leurs pieds. Cette fois, Jason a de lui-même proposé la place près de la fenêtre à son ami. Son parrain l'en félicite.

— Regarde, Carlos ! T'as vu comme les maisons sont petites ?

— Oh! Trop *cool*, s'enthousiasme-t-il. On dirait des jouets!

Épuisés par leur longue journée de voyage et le décalage horaire, les garçons dorment une grande partie du trajet. Et sans se faire prier.

— Réveillez-vous, les garçons, leur chuchote Jean-Philippe en les secouant gentiment. Nous arrivons bientôt à Nouakchott.

Carlos peine à ouvrir les yeux. Il a le corps endolori d'avoir dormi en boule. Il aimerait s'étirer, mais manque cruellement d'espace. Jason, lui, ne se gêne pas et Carlos reçoit bientôt un coup de coude sur le nez qui le réveille pour de bon.

— Ouch! gémit-il en se frottant le nez.

— Désolé, lance Jason en continuant ses étirements.

— Ouille! s'écrie à son tour Jean-Philippe. Fais attention! Tu n'es pas tout seul.

— Ce n'est pas ma faute s'il n'y a pas de place dans cet avion. Avec papa, on voyage souvent en classe affaires. Là, il y a de la place.

— Non, mais je rêve! soupire Jean-Philippe, l'air découragé. Quel enfant gâté tu es! Je te préviens, Jason, les vacances que tu t'apprêtes à vivre n'ont rien à voir avec les voyages que tu fais avec tes parents. Je crois qu'il est bon que tu le saches tout de suite.

— Ah, bon ? Qu'est-ce que ça veut dire ? demande le garçon, intrigué.

— Tu verras bien. Mais prépare-toi à vivre un autre genre de voyage. Sans luxe !

Carlos est tout aussi intrigué que Jason. Son ami lui a tant parlé de ses voyages aux quatre coins du monde qu'il s'attendait à vivre ce genre de vacances : de beaux hôtels, des restaurants, des excursions en bateau, etc. Mais d'après ce qu'ils viennent d'apprendre, ce ne sera pas le cas. Quand il regarde par le hublot, son cœur se serre : le désert et ses dunes s'étendent à perte de vue.

Tandis que l'avion entame son atterrissage à Nouakchott, les garçons tentent d'interpréter les paroles de Jean-Philippe. Qu'a-t-il voulu dire? Feront-ils du camping? Vivront-ils dans une famille? Iront-ils dans des auberges de jeunesse? Et puis, surtout, descendront-ils ici ou à Conakry?

Ils obtiennent rapidement la réponse à cette dernière question. Alors que près de la moitié des passagers quittent l'avion, eux y restent.

— On va en Guinée! dit Carlos en souriant.

— Bien vu!

— Est-ce que c'est aussi désertique que la Mauritanie là-bas? demande Jason, un peu inquiet.

— Absolument pas! La Guinée est un pays très vert, très différent d'ici.

Tu sais, mon grand, c'est immense, l'Afrique. Et donc très varié.

«Je sais enfin où je vais passer mes vacances», songe Carlos, heureux, alors que l'avion prend son envol. Il se réjouit de découvrir la Guinée.

Pendant les deux heures du trajet, les garçons jettent régulièrement des coups d'œil par le hublot. Après une heure à survoler un désert sans fin, le paysage commence à changer et le sable cède la place à de la verdure et des forêts. Quel contraste !

— Nous vous prions de bien vouloir boucler votre ceinture. Nous allons amorcer notre descente vers Conakry, annonce la voix d'une hôtesse dont l'accent africain fait rire les garçons.

Tout énervés, Carlos et Jason observent l'étrange ville qui apparaît sous leurs yeux à mesure que l'avion approche de la terre ferme. Bordée par la mer, Conakry semble petite comparée à Montréal ou à Paris. Et vraiment pas moderne. Il n'y a ni hauts immeubles ni bâtiments stylisés.

— Bienvenue en Guinée, les gars! leur lance Jean-Philippe quand l'avion se pose.

CHAPITRE 6

Conakry et taxi-brousse

Voilà trois jours que les voyageurs sont à Conakry. Encore perturbés par le décalage horaire, ils partagent leurs journées entre découverte de la ville, visites touristiques et siestes. À la grande déception de Jason, ils ne sont pas descendus dans un bel hôtel, mais dans une petite auberge modeste située au cœur de la ville. Le garçon était presque scandalisé qu'on n'y retrouve ni piscine, ni boutique, ni restaurant. Mais Carlos et Jean-Philippe l'ont gentiment remis à sa place en lui rappelant que le luxe ne serait pas du voyage.

Carlos est dans un drôle d'état depuis qu'ils ont mis le pied en terres guinéennes. Toutes sortes d'émotions se bousculent en lui selon les moments de la journée. De l'excitation de découvrir un nouveau monde, il passe soudain à l'ennui ou à la peur. Peur de faire de mauvaises rencontres, de se faire voler ou de tomber malade. Sa famille lui manque beaucoup. Parfois, il se cache dans la salle de bain pour verser quelques larmes. Il regrette de n'avoir pas pris Barnabé, qui aurait pu le réconforter. Mais à bien y penser, il a pris la bonne décision : Jason ne se serait pas gêné pour se moquer de lui tout au long des vacances. D'ailleurs, lui n'a pas l'air de s'ennuyer de ses parents. Il est vrai qu'avec tous les camps qu'il a vécus, il a l'habitude d'être loin d'eux.

Absolument tout est nouveau pour Carlos en Guinée : la nourriture, les différentes langues guinéennes, la manière de s'habiller, le chaos du transport, les klaxons qui résonnent à toute heure, la moiteur des nuits chaudes, la pluie qui tombe plusieurs fois par jour. Malheureusement pour le trio, la saison des pluies bat son plein durant l'été[7].

---

7. Dans les pays au climat tropical, comme en Guinée, l'année se divise en deux saisons seulement : la saison des pluies, ou saison humide, et la saison sèche.

C'est aussi la première fois qu'il est face à tant de pauvreté. Il est choqué de voir tous ces enfants se bousculer vers les voitures, en plein trafic, pour tenter de vendre mille et une choses aux passagers : paquets de gomme à mâcher, brosses à dents, cigarettes, balais, billets de loterie ou serviettes de bain. À tous les coins de rue, son regard se pose sur des femmes ou des filles qui vendent des plats cuisinés. Et que dire de ces étranges maisons de tôle, de bois et de plastique bâties à côté de grandes demeures riches entourées de hauts murets ? C'est comme s'il n'y avait pas de quartiers riches ou de quartiers pauvres ; les belles maisons côtoient des abris de fortune tout droit sortis de bidonvilles. Et avec cette pluie qui ne

cesse de tomber, les routes sont inon-
dées d'eau, de boue et de détritus. Ça
pue et c'est sale.

Mais ce qui frappe plus que tout
Carlos, c'est le contraste entre leur
peau blanche, à tous les trois, et cette
marée humaine à la peau noire. Malgré
son teint basané de Sud-Américain,
il se sent tout pâle dans la foule de
Conakry. En plus, les Guinéens ne se
gênent pas pour les dévisager comme
s'ils étaient d'étranges créatures, ce
qui ne l'aide en rien à se sentir à l'aise.
Jason, lui, trouve ça plutôt drôle.
Comme il aime attirer l'attention et
les regards, il est donc bien servi!

Un soir, après une journée bien remplie à visiter la Grande Mosquée, le
Musée national de Guinée et le Jardin

botanique, et avoir fait une courte sieste, les trois voyageurs dévorent leur repas avec appétit.

— Mmm. C'est délicieux ! dit Carlos entre deux bouchées.

— Le *mafé*[8] est un plat typique d'Afrique de l'Ouest, leur explique Jean-Philippe.

— C'est bien meilleur que le riz au gras de ce midi, ajoute Jason. Juste le nom, c'est déjà peu appétissant.

La discussion est animée autour de la table du petit restaurant où, une fois encore, ils sont les seuls Blancs. Les garçons ont tant de choses à dire sur ce qu'ils ont vu et appris ces derniers jours ! Leur guide est heureux de les

8. Le *mafé* est un riz au poulet à la sauce aux arachides.

voir si enthousiastes. Il en profite pour leur annoncer la suite du programme.

— Demain, nous quittons Conakry, leur dit-il.

— Déjà? s'étonne Jason. Mais on vient à peine d'arriver.

— Ne t'en fais pas, on reviendra à la fin du voyage.

— *Cool*! lancent les garçons en chœur.

— Et on va où, alors? demande Carlos.

— Dans la région de Kankan, en Haute-Guinée. C'est dans l'est du pays, proche de la frontière avec le Mali et la Côte d'Ivoire.

— Quel drôle de nom! s'amuse Carlos.

— Qu'est-ce qu'on va faire à Kankan ? demande Jason.

Mais Jean-Philippe ne veut pas leur en révéler davantage. Les garçons ont beau tenter de lui tirer les vers du nez, leur guide reste une fois de plus muet comme une carpe sur le sujet pour le reste du repas. Même chose pendant tout le trajet de retour vers l'auberge.

Ce soir-là, les garçons s'endorment épuisés par leur journée de marche et de découverte, mais la tête pleine de questions sur ce qui les attend le lendemain.

* * *

Jamais Carlos n'a vu un tel chaos. Pourtant, depuis son arrivée à Conakry, il y a souvent fait face. Mais rien à voir avec ce qu'il vit en ce moment. Voilà près d'une heure que les trois amis poireautent dans un petit autobus rouillé peint de couleurs vives, dont le toit déborde de bagages. Bien à l'abri des trombes d'eau qui tombent du ciel, Carlos et Jason éclatent de rire quand ils se rendent compte qu'une chèvre et trois poules font partie des voyageurs.

Le départ était prévu pour dix heures. Mais à dix heures et demie passées, l'autobus n'a toujours pas bougé. La pluie continue de tomber sans relâche, transformant le stationnement en véritable mare de boue. Plusieurs passagers s'énervent, certains crient après le chauffeur, d'autres le menacent de s'en aller. Patiemment, celui-ci répète que son autobus doit être à moitié plein avant de prendre la route.

— Moi, il m'a l'air plus qu'à moitié plein, ce bus, s'étonne Jason.

— D'accord avec toi. Il est déjà à moitié rempli, renchérit Carlos.

— Vous verrez que voyager en taxi-brousse, c'est toute une aventure, leur explique Jean-Philippe en riant. On ne sait jamais quand on part ni quand on arrive. Mais une chose est sûre : c'est toujours une péripétie.

Finalement, avec plus d'une heure de retard, le chauffeur annonce le départ. Les deux garçons ont le nez collé à la vitre, commentant tout ce qu'ils voient. Après avoir traversé les faubourgs et les bidonvilles entourant Conakry, ils découvrent la campagne et la savane africaine. Les routes d'asphalte ont rapidement fait place aux

pistes de brousse, ces chemins de terre tout cabossés où le chauffeur doit zig-zaguer pour éviter les trous de boue. Les garçons doivent s'accrocher tellement ça secoue dans tous les sens. De temps en temps, l'autobus s'arrête dans de petits villages pour laisser descendre des passagers ou en faire monter de nouveaux.

Après deux heures de route et quelques arrêts, les garçons pensent que l'autobus est assez plein et ne s'arrêtera plus. Et pourtant, il continue de se remplir de passagers ! Carlos, Jason et Jean-Philippe doivent se coller les uns aux autres lorsqu'une énorme dame s'installe à leurs côtés. Si ça continue, ils devront bientôt s'asseoir les uns sur les autres.

Entre les pleurs de bébés, les conversations animées, les cris des animaux, les incessants coups de klaxon et la musique qui joue à plein volume, c'est une véritable cacophonie dans le véhicule. Les garçons en sont tout étourdis, mais s'amusent follement.

En début d'après-midi, l'autobus s'arrête dans un village pour permettre aux passagers de dîner. Étonnés, Carlos et Jason voient les Guinéens sortir un bol de leur sac de voyage et se diriger vers les femmes qui vendent des repas. Chacune a devant elle un grand saladier rempli d'un plat qu'elle a préparé : ici, riz à la viande ; là, riz sauce poisson ; là-bas, *fonio*[9] sauce tomate, etc.

---

9. Le fonio est une céréale cultivée en Afrique qui fait partie de l'alimentation de base.

Les passagers font remplir leur bol, paient et se retrouvent près de l'autobus pour manger. Certains utilisent une cuillère, mais la plupart mangent directement avec leur main droite. Tout en mastiquant leur sandwich, les garçons les observent.

— Savourez bien votre sandwich, lance Jean-Philippe, car c'est le dernier avant notre retour en ville. Dès ce soir, vous mangerez comme eux.

Carlos et Jason se regardent en riant, mais avec un brin d'inquiétude. Vont-ils s'habituer à cette nourriture?

L'autobus repart. Bercés par le roulement cahoteux du véhicule et le vacarme ambiant, les garçons finissent par s'endormir.

CHAPITRE 7

Pas de tout repos, ces vacances

« Terminus ! Tout le monde descend ! » hurle le chauffeur.

Malgré ce réveil brutal, les trois voyageurs sont heureux d'être arrivés. À leur descente du véhicule, Carlos et Jason découvrent qu'ils se trouvent au centre d'un petit village, au pied d'un immense arbre. Avec son tronc large et lisse qui s'élance vers le ciel et ses nombreuses racines qui forment comme des serpents grimpant le long de ce tronc, c'est l'arbre le plus étrange qu'ils aient jamais vu.

Le village semble avoir été construit autour de cet arbre qui trône au centre de la place en terre battue. Tout autour, des cases[10] rondes en terre au toit de chaume sont éparpillées.

— Que c'est beau, murmure Carlos. J'ai l'impression d'être dans un film documentaire.

— C'est vrai, répond Jason. Mais je me demande où est notre hôtel.

— Ça m'étonnerait qu'il y ait un hôtel par ici, lance Carlos en regardant autour de lui.

---

10. Une case, aussi appelée «paillote», est une petite hutte au toit de paille. C'est l'habitation traditionnelle dans plusieurs pays à climat tropical.

Des dizaines d'enfants accourent pour encercler les étrangers. Certains rient, d'autres les observent silencieusement et d'autres encore, les plus jeunes, pleurent en se cramponnant à leur grand frère ou en se cachant derrière leur grande sœur.

— Pourquoi est-ce qu'ils n'arrêtent pas de dire *toubabou*? demande Carlos, intrigué.

— *Toubab* ou *toubabou* veut dire « étranger » ou « Blanc », explique Jean-Philippe. *Inoura*! lance-t-il en caressant les têtes des enfants. *Tanamasi*?

— *Tanacite*! crie en chœur la bande d'enfants, avant de demander: *Tanamasi*?

— *Tanacite*, répond Jean-Philippe. Je viens de dire « bonjour » en malinké, explique-t-il à ses deux compagnons. C'est-à-dire *inoura*.

— *Inoura*, répètent Carlos et Jason.

— *Inoura* ! répondent en rigolant de plus belle les enfants du village.

— Ensuite, je leur ai demandé « comment ça va ? » : *tanamasi* ?

Le même cirque recommence pour chaque mot appris : les deux amis le répètent et les Guinéens les imitent. Le processus donne lieu à de bons fous rires. Des adultes se sont approchés des voyageurs et regardent la scène en souriant. Un vieil homme, une jeune femme et un homme s'avancent vers les nouveaux venus. Jean-Philippe les salue chaleureusement et discute un moment avec eux. Puis, il fait les présentations.

— Bonjour, les enfants ! lance la jeune femme, qui s'appelle Aïsha Fofana, en leur serrant la main. C'est un grand honneur de vous accueillir dans notre village. Notre chef, Moussa Keita, vous remercie du fond du cœur de venir nous aider et espère que vous passerez un bon séjour parmi nous.

— Merci à vous de nous accueillir, répond Carlos en souriant.

— Comment est-ce qu'on va vous aider ? demande Jason. Et vous aider à faire quoi ?

Étonnée, Aïsha se tourne vers Jean-Philippe.

— Ils ne le savent pas ?

— On ne sait pas quoi ? lance Jason à son parrain en fronçant les sourcils.

— J'ai préféré garder la surprise. Pour ne pas leur faire peur, explique l'homme avec un clin d'œil à l'intention de la jeune femme, qui rigole.

— Quoi ? De quoi est-ce qu'on devrait avoir peur ? s'exclame Jason.

— Eh bien, maintenant que nous sommes arrivés, je vais tout vous expliquer.

Les garçons apprennent ainsi qu'ils sont venus prêter main-forte aux habitants du village pour la construction d'une école. Pendant les deux prochaines semaines, ils vivront avec la famille d'Aïsha et participeront aux travaux. Si Carlos est ravi de cette nouvelle, Jason, comme à son habitude, se met à rouspéter.

— Ce ne seront pas des vacances puisqu'on va travailler. Ça n'a rien à voir avec des vacances ! Tu nous as menti, lance-t-il à son parrain avec des fusils dans les yeux. Le cadeau que tu m'as offert pour mon anniversaire, c'est… un cadeau empoisonné !

— Tu exagères, Jason, lui dit Carlos. On est quand même en Afrique, à l'autre bout du monde.

— Peut-être, mais moi, travailler, je n'appelle pas ça des vacances.

Jean-Philippe et Carlos ont beau essayer de lui montrer le bon côté de cette expérience où ils partageront le quotidien de villageois guinéens, Jason boude de plus belle. Il ne digère pas d'être obligé de travailler. Alors, fatigués de son attitude, ses deux compagnons décident de l'ignorer. Si Jason a envie de bouder et de se plaindre, tant pis pour lui. Carlos est bien décidé à ne pas laisser son ami gâcher son plaisir.

Escortés par la ribambelle d'enfants qui portent fièrement leurs bagages, les trois voyageurs suivent Aïsha jusqu'à la case qui sera leur maison durant leur séjour. Après s'être déchaussés, ils entrent dans une pièce ronde et sombre sans fenêtres. Il leur faut quelques secondes pour que leurs yeux s'habituent à la pénombre, car seule la porte laisse entrer la lumière. La fraîcheur de la pièce en terre battue est très agréable et contraste avec la chaleur de l'extérieur.

— C'était la case de mon frère, explique Aïsha. Il vit maintenant à Conakry, alors nous la destinons aux invités. Prenez le temps de vous installer. Quand vous serez prêts, rejoignez-nous pour le souper, leur dit-elle avant de les laisser seuls.

— Où sont les lits ? demande Jason. Et la salle de bain ?

La pièce est presque vide. On n'y trouve qu'une commode en bois, une table, trois chaises, une grande cuvette en plastique, trois nattes en paille roulées dans un coin, un seau et un balai.

— Les Guinéens dorment sur ces nattes, qu'ils déroulent le soir, explique Jean-Philippe. Mais j'ai apporté des matelas de camping gonflables. Ça sera plus confortable. Et pour ce qui est de la salle de bain, eh bien, il n'y en a pas. Il y a des latrines dans le village pour faire vos besoins.

— Et comment on fait pour se laver ? questionne Carlos.

— On va faire comme les villageois : on ira puiser de l'eau au puits avec ce seau. Et cette cuvette va nous servir de bain ou de douche.

— C'est pire que le camping, bougonne Jason.

Ses compagnons font la sourde oreille et ne répondent pas. Une fois les lits préparés et les bagages rangés, les voyageurs rejoignent les villageois sous l'arbre. Ceux-ci ont préparé une petite fête pour leurs invités. Des femmes et des enfants dansent au son des tam-tams joués par les hommes. Bien vite, les étrangers se retrouvent à danser parmi eux, pour le plus grand bonheur de tous. Puis, d'autres femmes arrivent avec le souper dans de grands bols qui ressemblent à des courges séchées. Aïsha leur explique que ce sont des calebasses. Le menu se compose de chèvre en sauce sur du riz. Les invités mangent avec les hommes, tandis que les femmes et les enfants mangent dans leur coin. Les calebasses sont posées par terre et les hommes, assis en petits groupes autour, plongent leur main droite dans le plat pour recueillir la nourriture. Carlos et Jason les observent, puis les imitent. Mais leur technique n'est pas au point et de la sauce leur dégouline le long des bras, ce qui fait bien rire l'assistance.

À la fin du repas, la musique envoûtante des tam-tams reprend et, jusque tard dans la nuit, les villageois dansent et rient avec leurs invités.

Quand vient le temps de se coucher, Jason et Carlos ne se font pas prier. Ils sont épuisés et s'écroulent sur leur matelas de camping.

— Bonne nuit, les gars! leur lance Jean-Philippe. Dormez bien et reprenez des forces car, demain, du travail nous attend.

— Bonne nuit, murmurent les garçons, déjà à moitié endormis.

CHAPITRE 8

La main à la pâte

Une semaine plus tard, Jason et Carlos sont bien intégrés et ont pris le rythme de la vie au village. Ils se réveillent à l'aube, tirés du sommeil par les cris des coqs qui se répondent. Les matinées, relativement fraîches, sont consacrées à la construction de l'école, qui avance lentement, mais sûrement. Comme le répètent souvent les villageois : « Doni doni kononi ba nyala ». Ça veut dire « petit à petit, l'oiseau fait son nid » en malinké, c'est-à-dire qu'une étape à la fois, avec de la patience et de la persévérance, on finit par atteindre son but.

Les deux garçons ont vite appris à fabriquer des briques à base d'un mélange de terre argileuse et d'un peu de ciment. Ces briques sont ensuite cuites dans un énorme four où elles durcissent et deviennent ainsi plus solides et, donc, plus résistantes aux pluies. Les hommes, dont Jean-Philippe, empilent ces briques, puis les colmatent avec du ciment pour construire les murs de l'école.

Chaque jour, le travail des deux garçons se partage donc entre la fabrication des briques et le ramassage du

bois, qui sert à entretenir le feu du four à briques, mais aussi des foyers où les femmes cuisinent les repas. Carlos aime aussi aider les filles à aller puiser l'eau au puits, qui est légèrement à l'extérieur du village. Car ici, bien évidemment, il n'y a ni électricité ni eau courante. Alors, la collecte du bois et de l'eau, tous deux essentiels à la vie quotidienne, font partie des tâches domestiques des enfants.

Les après-midis, quand le soleil plombe, après le dîner que les amis partagent avec la famille d'Aïsha, Jason et Carlos s'amusent avec les enfants du village. Ils vont souvent jouer à la rivière, nager ou pêcher. Parfois, ils se promènent en forêt, où les deux étrangers découvrent, émerveillés, des phacochères, des singes, des gazelles ou des termitières. Ils ont même vu des traces d'hippopotame et de panthère, mais n'en ont encore jamais croisé.

Quand les après-midis sont pluvieux – même s'il pleut beaucoup moins souvent qu'à Conakry, c'est tout de même la saison des pluies ici aussi –, les enfants se regroupent dans l'une ou l'autre des cases du village et dessinent ou jouent. Ils en profitent alors pour se poser mille et une questions sur leur vie au Canada ou en Guinée. Chacun est curieux de savoir comment vit l'autre.

Mais le moment de la journée que préfèrent Carlos et Jason, ce sont les parties de soccer endiablées qui se jouent chaque fin d'après-midi, quand le soleil commence à décliner et que la température devient supportable. Presque tout le village participe à ces joutes sportives : tandis que la plupart des enfants et des jeunes jouent, plusieurs adultes les suivent en les encourageant à grands cris. Après ces parties où se mêlent rires et cris, les familles se séparent pour aller manger devant leur case. Si Jason et Carlos se sont habitués à la nourriture guinéenne, ils ne sont pas friands de tous les plats. Ils ont beaucoup de difficulté à avaler la sauce gombo, par exemple ; une sauce à base d'un légume vert appelé « gombo », qui est vraiment gluante et ressemble à de la morve.

Mais ce que les garçons trouvent le plus difficile, ce sont les toilettes. Ils n'auraient jamais cru s'ennuyer autant de leur cuvette, qu'ils se réjouissent déjà de retrouver à leur retour. Car les latrines sont loin d'offrir le confort des salles de bain de chez eux. Pourtant, Jean-Philippe leur a appris que le village est très chanceux d'avoir des latrines de luxe. « Tu parles d'un luxe ! », s'était écrié Jason. Jean-Philippe leur a alors raconté que, jusqu'à l'an dernier, il y avait plusieurs latrines artisanales dans le village : un trou était creusé, sur lequel reposaient quelques planches de bois de chaque côté pour y mettre les pieds ; le tout était entouré de planches de tôle ou de simples tissus. L'odeur qui se dégageait de ces trous était une véritable horreur et tout le village sentait mauvais. En plus, ça grouillait de mouches, de vers et

de toutes sortes d'insectes transmet-
tant de graves maladies.

Alors que maintenant, les latrines
sont situées un peu à l'écart du village,
mais dans la direction opposée au
puits. Elles sont construites avec des
briques et du ciment et sont munies
d'un toit de tôle et de portes en bois.
S'il n'y a pas de toilettes où s'asseoir,
mais encore des trous, le plancher est
en ciment et un couvercle empêche les
mouches et les vers de sortir. Jason et
Carlos sont donc bien contents de ne
pas être venus l'an dernier!

Un soir, après la fameuse partie de
soccer, les amis se font beaux, car ils
soupent chez Moussa Keita, le chef
du village.

— On va enfin savoir combien d'enfants a le chef, se réjouit Jason tandis que le trio se dirige vers la case de leur hôte. Parce que moi, je n'y comprends rien, à cette famille.

— Moi non plus, lâche Carlos. Je me demande comment Fatoumata, Mamadou et Ousmane peuvent être frères et sœurs sans être jumeaux s'ils ont tous le même âge. Ça m'intrigue.

Arrivés à proximité des cases de la famille du chef, ils sont accueillis par une horde d'enfants qui se bousculent pour les toucher en répétant : « Toubabou » à qui mieux mieux. Carlos a fini par s'habituer à ce drôle de surnom.

— Ce sont tous les enfants du chef ? s'étonne Jason. Ce n'est pas possible !

— Et tu as vu, ajoute Carlos, il y a beaucoup de cases pour cette famille. Comment ça se fait? demande-t-il à Jean-Philippe.

— Vous le saurez très bientôt. Mais je vous avertis que vous risquez de trouver cette famille… comment dire… particulière. On n'en a pas l'habitude chez nous.

Les garçons se regardent, encore plus intrigués, alors qu'ils pénètrent dans la cour.

CHAPITRE 9

Un souper mémorable

— Salut, mes amis! Soyez les bienvenus dans ma famille, leur lance leur bon copain Abdoulaye en les menant vers son père.

Les étrangers saluent Moussa, le chef, et le remercient pour cette invitation. Une jeune femme leur sert un jus de bissap, une boisson rouge et sucrée faite de fleurs d'hibiscus que les garçons apprécient un peu plus chaque jour. Moussa leur présente fièrement sa famille, en commençant par un couple de personnes âgées à la peau toute ridée, mais au dos droit et au regard fier.

— Et voici Fanta, ma première épouse, dit-il tandis qu'une femme imposante dans son boubou[11] violet leur serre la main en souriant. Et voici quatre de nos six enfants : Abdoulaye, Mariam, Safiatou et Oumar. Nos deux plus vieux, Mama et Alpha, vivent à Conakry.

Les garçons saluent chacune des personnes présentées. « Comment ça, sa *première* épouse ? se demande Carlos, curieux. Qu'est-ce que ça veut dire ? »

---

11. Un boubou est un vêtement traditionnel africain porté par les femmes et les hommes, qui ressemble à une tunique ample.

Puis, se tournant vers une petite femme mince à la peau plus claire et au visage souriant, Moussa leur présente sa deuxième épouse, Binta, et leurs cinq filles : Aminata, Fatoumata, Kadiatou, Néné et Adama. Essayant de cacher leur surprise, Jason et Carlos les saluent, tout sourire. Mais quand le chef leur présente ensuite sa troisième épouse, Aïssatou, qui semble bien plus jeune que les deux autres, et leurs quatre enfants, Hawa, Mamadou, Fodé et Ousmane, les garçons ne peuvent plus cacher leur étonnement.

Jamais ils n'auraient cru qu'un homme pouvait avoir tant de femmes et d'enfants. Mais ce qui les surprend le plus, c'est de voir que tout le monde vit en harmonie, chaque femme ayant sa propre case avec ses enfants. Carlos se demande dans quelle case vit Moussa… Passe-t-il une semaine dans une case, une semaine dans une autre ? Ou peut-être change-t-il chaque nuit de case et de femme ? Quelle étrange famille !

Pendant que Jean-Philippe et Moussa discutent, les enfants se retrouvent entre eux. Jason et Carlos en profitent pour mitrailler leurs amis de questions sur leur étrange vie familiale.

— Nous avons beaucoup de chance, leur explique Mariam, une bonne amie qui a le même âge qu'eux, car nos mères s'entendent très bien. Elles sont amies. D'ailleurs, ce sont ma mère et Binta qui ont choisi la troisième épouse de notre père.

— Ah, bon! lance Jason, les yeux ronds comme des soucoupes.

— Mais pourquoi? s'étonne Carlos, bouche bée.

— Eh bien, quand un mari veut prendre une nouvelle épouse, il a tout intérêt à en choisir une qui s'entendra bien avec ses coépouses[12]. Sinon, ça risque d'être la pagaille et la jalousie entre elles et même entre leurs enfants, raconte Ousmane en rigolant.

— Je peux imaginer, lâche Carlos. Ça ne doit pas être facile de partager son mari. Ou son père, dit-il en regardant la quinzaine de frères et sœurs.

— Mais pourquoi vouloir plusieurs femmes? demande Jason, étonné.

---

12. Une coépouse est l'une des épouses dans un mariage polygame, c'est-à-dire un mariage où l'homme est marié à plus d'une femme.

Est-ce qu'un homme peut avoir autant de femmes qu'il le souhaite?

— Chez les musulmans, un homme peut avoir jusqu'à quatre femmes, à condition qu'il s'en occupe équitablement, ainsi que de tous leurs enfants. Mais vous savez, certains rois africains en ont eu bien plus d'une dizaine, avec une centaine d'enfants.

Carlos avale de travers en apprenant cette nouvelle et manque de s'étouffer, ce qui fait rire ses amis.

— Nous, reprend Fatoumata, on a beaucoup de chance. Notre père est bon, juste et aimant avec toutes ses femmes et tous ses enfants. On s'entend tous bien dans la famille.

Au fil de la discussion, les garçons apprennent que, si Moussa a pris une deuxième épouse, c'était pour aider la première à cultiver les champs. Quant à la troisième femme, bien sûr, elle aide également aux travaux agricoles, mais Moussa l'a aussi épousée parce que sa deuxième femme ne lui donnait que des filles. Et comme en Afrique il est important d'avoir des fils, qui perpétueront la famille et à qui les terres familiales seront léguées, c'est une bonne raison de prendre une nouvelle épouse.

— Alors, vous, ça ne vous dérangerait pas d'avoir des coépouses ? demande Carlos aux plus âgées des filles.

— Moi, il n'est pas question que mon mari prenne une autre femme, dit Fatoumata d'un air décidé en croisant les bras sur la poitrine. Je préférerais divorcer !

— Moi non plus! renchérissent ses sœurs.

— Contrairement à nos mères, nous allons à l'école, explique Mariam. Nous sommes éduquées : nous savons lire et écrire. Et quand nous serons grandes, nous voulons avoir un vrai métier.

— Moi, par exemple, j'aimerais devenir enseignante, dit Fatoumata avec fierté. Et mon mari devra m'aider à la maison et avec les enfants.

Les filles l'approuvent en hochant la tête.

— Aucune de nous ne souhaite avoir la même vie que nos mères, ajoute Hawa. Vous avez vu comme elles travaillent dur du matin au soir! Ce sont les premières levées et les dernières couchées. Elles cultivent les champs, vendent les récoltes au marché, préparent les repas, prennent soin des enfants et s'occupent des travaux de la maison, comme la vaisselle, le lavage, le ménage et j'en passe.

— C'est justement pour aider leur mère que les enfants commencent à travailler très jeunes, explique Abdoulaye. Ils vont puiser l'eau et chercher le bois ou s'occupent des plus petits.

— Qui parle? s'exclame Aminata, les mains sur les hanches. Toi et les garçons, vous aidez quand vous êtes petits, c'est vrai. Mais dès que vous grandissez un peu, vous arrêtez de nous aider. Vous devenez aussi paresseux que vos pères. Et c'est toujours sur nos épaules à nous, les filles, que revient tout le travail.

— Exactement! approuve Fatoumata. Mais grâce à vous, dit-elle en se tournant vers les deux *toubabous*, nos vies vont beaucoup s'améliorer.

— Ah, bon? Comment? demande Carlos.

— Parce que bientôt, nous aurons une école au village. Nous n'aurons plus à marcher jusqu'au village où se trouvait l'école la plus proche.

— Il est loin, ce village? questionne Jason.

— À une dizaine de kilomètres, répond Abdoulaye.

Plus Jason et Carlos en apprennent sur la vie de leurs amis, plus ils sont impressionnés. Ils réalisent que ces enfants marchent plusieurs dizaines de kilomètres chaque jour : pour aller chercher l'eau, ramasser le bois et se rendre à l'école. Inimaginable ! De vrais marathoniens. Ils se rendent compte de la chance qu'ils ont de vivre au Québec, d'avoir l'eau courante, l'électricité, le chauffage et, en plus, les autobus scolaires. « Je ne me plaindrai plus jamais que l'autobus passe trop tôt ! » songe Carlos.

Soudain, Aminata, l'aînée des sœurs présentes, se lève et réclame le silence.

— Au nom de mes frères et sœurs, et au nom de tous les enfants de notre village, nous vous remercions d'être venus jusqu'ici nous aider à construire notre école, dit-elle solennellement. Grâce à votre aide, notre vie sera plus facile. Merci, les amis !

Tous les enfants se mettent à crier « merci ! » à l'unisson. Puis, ils courent serrer la main de Jason et Carlos, qui sont rouges comme des tomates. Émus par ces marques de reconnaissance, les garçons ne savent pas trop quoi dire.

Sauvés par les cloches, ils entendent :

— À table ! Le repas est servi !

Dans un joyeux brouhaha, le groupe d'enfants rejoint les adultes pour un souper mémorable. La nourriture est excellente et les discussions, passionnantes et animées. La soirée s'étire jusque tard dans la nuit. Carlos est si heureux d'être là, parmi ses amis guinéens. Il a l'impression de vivre un rêve éveillé. Et ne se réjouit pas de se réveiller !

En se couchant ce soir-là, malgré leur grande fatigue après cette longue journée, Jason et Carlos parlent longtemps. De la vie de leurs amis, de la différence entre celle des garçons et celle des filles, de l'importance de l'éducation, de celle de l'eau potable, etc. Ils refont le monde à eux deux.

Alors qu'ils sont sur le point de s'endormir, Jason murmure :

— Tu sais, Carlos, jusqu'à tantôt, je trouvais que le cadeau d'anniversaire de mon parrain était un cadeau empoisonné : devoir travailler et vivre dans des conditions si difficiles pendant nos vacances, ce n'est pas un cadeau, justement. Mais maintenant, je crois que Jean-Philippe m'a offert le plus beau des cadeaux. Non, mais c'est vrai, quoi! J'ai vu et appris tellement de choses! Et surtout, j'ai compris la chance que j'ai. La chance que j'ai par rapport à nos amis d'ici. Mais aussi, dit-il en regardant Carlos droit dans les yeux, la chance que j'ai par rapport à toi.

— À moi? s'étonne Carlos en se redressant sur un coude.

— Oui. J'ai mes deux parents, alors que ta mère t'élève seule. J'ai tout ce que je désire et, malgré ça, je me plains tout le temps, dit-il en rigolant. Toi, même si tu as bien moins de choses que moi, tu es toujours de bonne humeur, toujours généreux. Alors, j'ai décidé qu'à partir d'aujourd'hui, je ne me

plaindrai plus et que j'aiderai davantage les autres. Et que je vais profiter
au maximum de ce voyage et de cette
expérience. Qu'en dis-tu?

— Je dis: « Bravo, mon ami! » Un
nouveau Jason est né! On ne t'appellera
plus « Jason-j'ordonne ». Désormais,
tu seras « Jason-je-donne »!

Les deux garçons s'endorment le
cœur léger.

Épilogue

Le reste du séjour se déroule à merveille. Les garçons ont tellement de plaisir, qu'ils ne voient pas les jours passer. À une semaine du départ, Jean-Philippe leur propose de profiter des derniers jours pour visiter un peu la Guinée. Après en avoir longuement discuté, Jason et Carlos préfèrent passer leur dernière semaine avec leurs amis et continuer de construire l'école. Jean-Philippe est un peu surpris, mais il accepte avec plaisir.

Quand arrive finalement le moment de quitter le petit village et ses habitants, les garçons ont leur cœur gros. Ils seraient volontiers restés encore quelques semaines ; surtout que l'école n'est pas encore terminée, même si elle est bien avancée.

Après une dernière fête en leur honneur, Carlos, Jason et Jean-Philippe reprennent le taxi-brousse les bras chargés de cadeaux, la tête pleine de souvenirs, le cœur gonflé de tristesse et les yeux embués de larmes.

— Nous ne vous oublierons jamais *toubabous* ! crient les enfants en courant derrière l'autobus qui s'éloigne, bringuebalant, dans un nuage de poussière.

— Nous non plus! répondent les garçons, le corps à moitié sorti par la fenêtre et faisant de grands signes de bras pour saluer les villageois une dernière fois.

« Comment pourrais-je oublier? songe Carlos, qui se rassoit en soupirant. Mon premier voyage, mon baptême de l'air, ma découverte de l'Afrique, ma première expérience de travail… Et en compagnie de mon meilleur ami en plus! Non, c'est certain que jamais je n'oublierai ce fabuleux été en Guinée.»

Le village a disparu et n'est déjà plus qu'un souvenir. Les trois voyageurs demeurent silencieux un long moment, chacun perdu dans ses pensées.

— Jean-Philippe, dit soudain Jason en se tournant vers son parrain, j'aimerais te remercier du fond du cœur pour ces vacances. Tu m'as vraiment offert le plus merveilleux cadeau d'anniversaire !

— Tout le plaisir a été pour moi, mon cher Jason, répond Jean-Philippe en serrant son filleul dans ses bras. Vous savez, les gars, j'en ai fait des voyages dans ma vie. Mais celui-là restera à jamais gravé dans ma mémoire. Merci à vous, les *boys* ! Il faudra recommencer un jour.

Les garçons lui sourient, les yeux brillants.

— J'ai déjà hâte de savoir ce que sera mon cadeau pour mes douze ans, lance Jason en riant. Ça va être difficile de faire mieux!

« Ça, c'est sûr! Je croise les doigts pour faire de nouveau partie du cadeau… et du voyage? », espère Carlos en rêvant déjà à l'été prochain.

Mes parents ont démissionné

CHAPITRE 1

Une mère explosive

Le chaos a envahi ma maison. Voilà une semaine que ça dure. Chaque jour, la situation se détériore. Ma maison est devenue… comment dire… un véritable… capharnaüm. On dirait qu'un ouragan a traversé chaque pièce, les mettant l'une après l'autre sens dessus dessous. De l'extérieur, notre maison semble aussi normale que les autres maisons du quartier. Pourtant, dès qu'on ouvre la porte d'entrée, on se retrouve devant un tel désordre qu'on n'a qu'une envie : refermer cette porte au plus vite. C'est épouvantable ! Même moi, qui suis plutôt bordélique, je ne m'y retrouve plus.

Je me demande vraiment comment on va réussir à se sortir de ce cauchemar, mes frères et moi.

Tout a commencé il y a exactement une semaine. Sept jours. Vendredi dernier, pour être plus précis. C'était une journée fériée, alors on était tous en congé. Sauf papa. Pour nous faire plaisir, maman a décidé de nous emmener au cinéma, mes frères et moi. Après bien des pourparlers, on a fini par se mettre d'accord sur le film. Parce que ce n'est vraiment pas évident de trouver un film qui plaise à tous. Et qui, en plus, passe le test de l'approbation parentale puisque mes parents sont très stricts sur les films. Ils refusent qu'on voie des films violents ou idiots. Mais ça veut dire quoi, un film « idiot » ? Ce qui est idiot pour nos parents ne l'est généralement pas pour nous. Et vice-versa. Le pire dans tout ça, c'est qu'il faut absolument respecter les classements d'âge des films. Pas facile puisqu'on est quatre enfants et qu'il y a huit ans de différence entre l'aîné et le petit dernier : Ludovic a quinze ans ; Nathan en a treize ; moi – Cléo, en passant –, j'ai bientôt dix ans ; et Benjamin, le benjamin de la famille, justement, vient d'avoir sept ans.

Vous comprenez donc que choisir un film qui convienne à tous les membres de notre famille relève de la mission quasi impossible. Pourtant, en ce vendredi férié, on avait fini par trouver *le* film pour tous : un film de kung-fu qui se passait dans un monastère en Chine. On l'a tous trouvé excellent. Même maman. C'est pour dire ! Parce que maman, les films d'action, ce n'est pas son truc. Mais là, elle était aussi ravie que nous quatre en sortant de la salle de cinéma. Si ravie qu'elle nous a emmenés prendre le goûter dans une pâtisserie. On s'est bien régalés avec des chocolats chauds et des petits gâteaux.

C'était donc un beau vendredi de congé. La fin de semaine s'annonçait bien. On était une famille heureuse. Mais tout a basculé sur le chemin du retour. Comme ça, tout d'un coup, alors que personne ne s'y attendait. Mes frères et moi, on s'excitait les uns les autres. Quand soudainement, maman a freiné brusquement en hurlant :

— Ça suffit, ça suffit, ÇA SUFFIT !

Dans un crissement de pneus et un concert de klaxons, elle a arrêté la voiture au bord de la route. Les conducteurs qui nous suivaient nous ont dépassés en faisant de grands gestes de la main. Ils n'avaient pas l'air content. Mais ce n'était rien comparé à l'air de maman.

Instantanément, on a arrêté de se chamailler. On s'est regardés

avec de grands yeux ronds. Que se passait-il? Aucun de nous ne semblait comprendre.

— Je n'en peux plus, a soupiré maman. Êtes-vous sourds? Ça fait au moins dix fois que je vous demande d'arrêter de crier et de vous calmer. C'est votre façon de me remercier pour le bel après-midi?

Elle a continué à crier après nous, affirmant qu'on ne l'écoutait pas, qu'on se fichait de ce qu'elle nous disait, etc. Ensuite, elle nous a dévisagés en silence, en secouant la tête avec un air découragé. Que je me suis sentie honteuse!

Puis, avec une étrange lueur dans les yeux et un sourire qui ressemblait plutôt à une grimace, maman a dit:

— Je viens de prendre une grande décision, les enfants. Je vous annonce que je démissionne. J'abdique. J'abandonne... Je quitte le navire et vous rends mon tablier.

Elle a posé son front contre le volant et n'a plus bougé. Un silence lourd s'est installé dans la voiture. On entendait seulement les soupirs de maman et les reniflements de mon petit frère Benjamin, qui pleurait.

Moi, j'osais à peine respirer. Mais ma tête bouillonnait de questions : « Pourquoi maman parle d'un navire ? On est dans une voiture, pas dans un bateau... Et pourquoi nous rendrait-elle un tablier qu'on ne lui a pas donné et qui n'existe même pas ? Et pourquoi nous parle-t-elle de son travail maintenant ? » Vraiment, je n'y comprenais rien. Mais je sentais que l'heure était grave.

Après ce qui m'a paru une éternité, maman a enfin relevé la tête. Elle nous a regardés droit dans les yeux à tour de rôle. Personnellement, je n'ai pas aimé son regard. Alors, j'ai baissé les yeux vers mes souliers, honteuse.

Du coin de l'œil, j'ai observé mes frères. Nathan regardait lui aussi ses souliers avec un air penaud. Son visage était tout pâle. Benjamin, lui, n'était pas blême, mais rouge. Des larmes ruisselaient sur ses joues. Ses lèvres tremblotaient et ses épaules tressautaient. Il faisait de grands efforts pour ne pas éclater en sanglots. J'ai posé ma main sur son genou, histoire de le rassurer. Il s'y est accroché comme à une bouée.

Je me suis alors tournée vers Ludovic, notre grand frère. Étonnamment, il semblait s'en moquer complètement, que maman soit dans cet état. Il la dévisageait avec un petit air moqueur, un sourire en coin. Pourquoi affichait-il cet air-là ? Ça m'inquiétait. Pas besoin d'être une lumière pour savoir que maman se fâcherait devant son attitude. À quoi pensait-il en la provoquant de la sorte ? Je n'ai pas eu à attendre longtemps pour avoir ma réponse.

— Désolé de te décevoir, ma petite maman, lui a-t-il dit avec arrogance, mais tu ne peux pas démissionner. Aurais-tu oublié que tu n'as pas de patron?

Il était satisfait de son coup, Ludo, et souriait à pleines dents. Parce qu'il est vrai que maman répète souvent qu'elle est heureuse d'être sa propre patronne. Ça m'a fait sourire, moi aussi.

Mais quand j'ai croisé le regard de maman, toute envie de sourire s'est subitement envolée. Maman se transformait en volcan à vue d'œil. D'un instant à l'autre, elle risquait d'entrer en éruption. Les sourcils froncés, le front plissé et les lèvres pincées, elle dévisageait Ludo avec un regard noir. Elle respirait vite et fort, comme un taureau qui s'apprête à charger. Je voyais presque de la fumée sortir de ses oreilles et de son nez.

Je guettais l'instant fatidique où elle allait se mettre à déverser un flot de mots en criant contre mon frère. Mais le temps passait et rien ne se produisait. Maman respirait en prenant de grandes inspirations. Son visage s'était détendu. On aurait dit qu'elle méditait. Puis, un beau sourire a illuminé son visage, redevenu lisse. Le volcan semblait être entré en dormance. Oui, mais jusqu'à quand? Et pourquoi souriait-elle ainsi?

Après un petit raclement de gorge, maman a déclaré d'une voix posée:

— Tu as tout à fait raison, mon grand. Je n'ai pas de patron, rien que des clients. Mais je ne pensais pas à un patron en parlant de donner ma démission. Ni à mes clients, d'ailleurs. Je ne compte pas arrêter de travailler, je te rassure tout de suite sur ce point, a-t-elle dit en rigolant. C'est à vous quatre que je donne ma démission, mes chéris.

— Quoi ? Mais… mais tu ne… tu, a balbutié Ludo, abasourdi.

— Tais-toi et laisse-moi parler ! l'a-t-elle coupé avec autorité. Écoutez-moi bien, tous les quatre. Vos questions, vous me les poserez après. Alors, voilà : je n'en peux plus de vous entendre crier comme ça. J'en ai marre de vous voir vous chamailler sans cesse. J'en ai assez de vous répéter trois fois, si ce n'est pas dix, chaque consigne. Et je suis exaspérée que vous ne participiez jamais aux tâches ménagères. Oui, oui, je sais, c'est notre faute, parce que nous vous avons mal éduqués, votre père et moi. Vous avez entièrement raison là-dessus. Je prends le blâme et plaide coupable d'avoir mal élevé mes enfants. Alors, pour remédier à cette situation, eh bien, je vous présente ma démission en tant que mère. Pour votre bien-être comme pour le mien, je vais prendre de petites vacances de mon rôle, a-t-elle lancé en souriant. Avez-vous des questions ?

Trop ahuris pour parler, on a tous fait signe que non. Même si un tas de questions me trottaient dans la tête, ce n'était pas vraiment le moment de les poser. Je n'avais pas envie que l'humeur de maman se gâte à nouveau, alors que son calme semblait revenu.

Pendant que maman démarrait la voiture, sourire aux lèvres, Ludo nous a fait un petit signe de la main signifiant qu'elle avait pété un plomb. J'ai acquiescé. Tout rentrerait dans l'ordre une fois à la maison. Comme d'habitude, elle s'excuserait d'avoir perdu patience et de s'être emportée ainsi. Et, bien entendu, on s'excuserait de ne pas mieux l'écouter et on promettrait de participer plus activement aux corvées et de moins nous chicaner. Après tout, ce n'était pas la première crise familiale qu'on vivait.

Le reste du trajet s'est fait dans le silence le plus complet. Même Benjamin est resté silencieux, ce qui est plutôt rare. Et aucun de nous n'a osé rouspéter lorsque maman a mis la radio au poste de musique classique.

CHAPITRE 2

Un souper silencieux

Même si c'était il y a une semaine, je me souviens parfaitement de notre arrivée à la maison. Difficile d'oublier cette scène. On enlevait nos manteaux en silence quand papa est sorti de son bureau pour nous accueillir.

— Alors, les enfants, c'était comment, ce film de kung-fu ? a-t-il lancé en imitant une prise d'art martial accompagnée d'un cri de karatéka.

En temps normal, on aurait ri ou on se serait moqués de lui. Mais là, aucun de nous n'a réagi.

— Eh bien, dites donc! À voir vos têtes d'enterrement, il devait être triste, ce film. Toi, par contre, ma chérie, a-t-il dit en se tournant vers maman, tu as l'air bien joyeux. À vous regarder, on jurerait que vous n'avez pas vu le même film.

Maman a éclaté de rire. Un beau rire joyeux qui a eu le don de mettre Ludovic et Nathan de mauvaise humeur et a fait éclater Benjamin en sanglots. Quant à moi, je n'arrêtais pas de secouer la tête de droite à gauche en poussant de gros soupirs.

Devant nos réactions, le rire de maman s'est brusquement transformé en fou rire. Hilare, elle pleurait de rire, pliée en deux, se tenant le ventre à deux mains.

Je me suis sentie gagnée par le rire contagieux de maman. Déterminée, je tentais de le combattre, parce que je n'avais aucune envie de me mettre mes grands frères à dos. Si par malheur je laissais échapper le moindre rire de ma bouche, ils me tomberaient dessus comme deux joueurs de rugby qui s'arrachent le ballon. Et le ballon, ce serait moi. Alors, de toutes mes forces, je tentais de dompter mon envie de rigoler.

Papa nous regardait, l'air incrédule, les yeux arrondis, la bouche ouverte. Le pauvre, il n'y comprenait rien. J'avoue qu'on devait offrir un drôle de spectacle : les grands, fâchés noir, qui fulminaient avec des soupirs exaspérés ;

le petit qui pleurait tout son soûl, le visage plein de morve et de larmes ; moi qui regardais mes pieds, les lèvres pincées pour retenir le fou rire qui grandissait dans mon ventre ; et maman qui gloussait comme une dinde. Quel étrange tableau de famille !

— Voulez-vous bien m'expliquer ce qui vous arrive ? a demandé papa en levant les bras au ciel. J'aimerais bien comprendre.

— C'est à cause de maman ! a lâché Benjamin entre deux reniflements avant de se réfugier contre les jambes de papa. Elle ne veut plus être notre maman.

— Quoi ? Qu'est-ce que c'est que cette histoire ? a lancé papa avec un regard interrogateur à l'intention de maman.

Toujours secouée par ses rires, maman a tenté de lui répondre.

— Ce... ce n'est... pas... ce que j'ai dit, a-t-elle réussi à balbutier.

— Benji a raison, s'est exclamé Ludovic avec agressivité. Tout est la faute de maman. Imagine-toi donc qu'elle a décidé de démissionner de son rôle de mère. Ce sont ses propres mots. Je te le jure, papa. Benji a raison : si maman démissionne, ça veut dire qu'elle ne veut plus être notre mère.

Les sourcils en circonflexe et les yeux écarquillés d'étonnement, papa ne semblait pas croire Ludovic. Alors, Nathan et moi, on s'est mis à parler en même temps, pour prendre la défense de notre grand frère. Maman essayait de parler plus fort que nous pour s'expliquer.

Du coup, on a aussi monté le ton. Il fallait bien se faire entendre. Devant cette cacophonie, Benjamin a pleuré de plus belle.

— C'est une vraie maison de fous ici! a hurlé Ludo. Moi, je m'en vais. Salut, la compagnie! a-t-il dit en enfilant sa veste.

— Oh non! Tu n'iras nulle part, jeune homme, l'a prévenu papa en lui barrant le passage vers la porte d'entrée, les bras croisés. Du moins, pas avant qu'on ait tiré cette affaire au clair. Je vous ai préparé un bon souper qui sera prêt dans un quart d'heure. On va manger en famille et en profiter pour régler ce conflit.

Ludo a râlé qu'il n'avait pas faim. Papa lui a répondu qu'on mangerait tous ensemble, un point c'était tout.

En attendant le souper, on a dû monter dans nos chambres pour réfléchir.

Je me suis couchée dans mon lit pour lire. Mais impossible de me concentrer avec la musique qui sortait de la chambre de Ludovic. Toujours aussi provocateur, mon frère avait mis son rap dans le tapis. Ça allait barder. Encore une fois. Je le sentais. Jamais nos parents ne nous laissent écouter de la musique aussi fort. Alors, avec tout ce qui venait de se passer dans la journée, ils allaient bientôt accourir dans la chambre de Ludo en hurlant à nouveau.

Anxieuse, je tendais l'oreille. D'un instant à l'autre, j'allais entendre les chaussures à talons hauts de maman claquer contre les marches de l'escalier. À moins que j'entende papa grimper précipitamment les marches deux par deux. J'attendais.

J'ai dû m'endormir à force d'attendre. Parce que tout à coup, j'ai entendu papa nous appeler pour le souper. Ce n'est qu'à ce moment que Ludo a enfin éteint sa musique.

Quelques minutes plus tard, toute la famille était réunie autour de la table. On a commencé à manger en silence, chacun le nez plongé dans son assiette. C'était étrange. D'habitude, nos repas sont plutôt animés : on se coupe la parole ou on parle en même temps. Mais là, personne n'avait envie de rompre le silence.

C'est finalement papa qui a brisé la glace et fait entendre le son de sa voix grave. Nos assiettes étaient déjà presque vides.

— Je constate avec plaisir que tout le monde a retrouvé son calme. C'est plutôt agréable, non, de pouvoir souper dans un tel silence ? a-t-il lancé à la blague.

Papa cherchait peut-être à détendre l'atmosphère, mais c'était raté. Personne n'a ri ni même souri. Ludovic et Nathan se sont regardés en levant les yeux au ciel, aussi exaspérés l'un que l'autre. Avec un petit air tristounet, Benjamin regardait maman qui, elle, regardait papa, les sourcils froncés. Bonjour l'ambiance ! Si papa trouvait ce souper agréable, moi, je le trouvais franchement pénible.

— Pff, a soupiré papa devant ses efforts ratés. Puisque aucun de vous n'est d'humeur à plaisanter, passons aux choses sérieuses. Nous avons discuté, votre mère et moi, et voici ce que nous avons convenu: votre mère ira passer la fin de semaine chez son amie Sophie, à Montréal, et, lundi, on repart du bon pied.

— Est-ce que maman va être encore démissionnée lundi? a demandé Benjamin d'une petite voix inquiète.

Là, on a tous ri de bon cœur. Sauf Benjamin, qui était fâché qu'on rie de lui et qui s'est remis à pleurer.

— Ne pleure pas, mon grand, a dit maman en lui caressant les cheveux. On rigole simplement parce que ça ne se dit pas «être démissionné». On ne se moque pas de toi, ne t'inquiète pas.

Pour répondre à ta question, on verra lundi. Je me laisse la fin de semaine pour y réfléchir.

Le repas s'est terminé comme il avait commencé : en silence. Pendant qu'on débarrassait la table et qu'on rangeait la cuisine, maman est allée faire sa valise. Puis, elle est venue nous embrasser et nous souhaiter une bonne fin de semaine.

Pour la ixième fois de la journée, mon petit frère a recommencé à pleurnicher. Mais maman était trop pressée de partir pour le consoler. Alors, tandis qu'elle fermait la porte, j'ai passé un bras autour de ses épaules, l'ai attiré vers moi et lui ai murmuré à l'oreille :

— Ne t'en fais pas, Benji. On va passer une super fin de semaine !

CHAPITRE 3

Un horaire casse-tête

«Le chat parti, les souris dansent», dit le dicton. Quand je repense à la fin de semaine dernière, ce sont exactement les mots qui me viennent en tête : maman étant bien évidemment le chat et nous (papa y compris), les souris !

Après le départ de maman, Ludo est sorti avec ses amis, comme chaque vendredi. Pas question pour lui de passer un soir de la fin de semaine à la maison.

Exceptionnellement, papa nous a permis de jouer à nos jeux vidéo, à Nathan, Benji et moi. En temps normal, on n'y a jamais droit après le souper. Il paraît que ça excite trop nos cerveaux et que ça dérange notre sommeil. Moi, je crois que les parents inventent n'importe quelles excuses pour avoir des soirées tranquilles entre adultes. Mais comme maman était absente ce soir-là, papa nous a donc laissés jouer pendant qu'il bricolait dans son atelier. En plus, on s'est couchés plus tard qu'à l'habitude. Avec Nathan, on s'est dit que maman devrait partir plus souvent, parce que papa nous donnait drôlement plus de liberté !

Le lendemain, ça a été la course panique dès le réveil. Le samedi, mes frères et moi, on a chacun une activité sportive. Benji avait son cours de natation à 9 h ; moi, une partie de soccer à 10 h 30 ; et Nathan, une partie de hockey à 13 h 30, mais elle avait lieu à une heure de route de chez nous et il fallait qu'il soit arrivé 45 minutes avant. Quant à Ludo, son entraînement de kung-fu était à 14 h.

Papa s'arrachait les cheveux pour essayer de fixer l'horaire. Avec deux parents et deux voitures, il n'y avait aucun problème. Mais là, papa se demandait comment il allait réussir ce casse-tête tout seul. Alors qu'on déjeunait et qu'il griffonnait sur une feuille de papier, il s'est soudainement exclamé :

— Et si l'un de vous manquait son entraînement ou sa partie ?

Il arborait un grand sourire et semblait très content de son idée.

— Pas moi en tout cas! me suis-je
empressée de répondre. Je ne peux
absolument pas manquer cette partie.

— Hors de question que je loupe mon
entraînement, a répliqué Ludovic, bras
croisés et menton relevé. Je passe mon
test de ceinture dans trois semaines et j'ai
vraiment besoin de m'exercer d'ici là.

— Moi non plus, je ne peux pas
manquer ma partie, a dit Nathan. C'est
moi le gardien. Je ne peux pas faire ça à
mon équipe.

— Tu pourrais appeler ton entraî-
neur pour lui dire que tu ne te sens pas
bien aujourd'hui, a suggéré papa, le
regard plein d'espoir.

— Non, mais je rêve! s'est exclamé Ludo en se levant brusquement, ce qui nous a fait sursauter. Tu nous demandes de mentir maintenant? C'est du joli, papa! Si maman t'entendait…

Pauvre papa! Il avait l'air tellement découragé. J'ai eu pitié de lui.

— J'ai juste à appeler Laurence, ai-je proposé. Ses parents pourraient venir me chercher.

— Excellente idée, ma Cléo! Pourquoi est-ce que je n'y ai pas pensé? a dit papa, qui avait retrouvé son sourire grâce à moi.

Après avoir griffonné encore quelques notes, papa nous a annoncé qu'il avait enfin réglé le problème. On pourrait tous aller à nos activités.

Il partirait à 8 h 30 avec Benjamin et Nathan, direction la piscine, puis les trois iraient ensemble à la partie de Nathan. Ils viendraient ensuite me chercher chez Laurence si ses parents étaient d'accord pour me garder chez eux un bout d'après-midi.

— Voilà ! On y est arrivés, a-t-il soupiré de satisfaction, comme s'il venait de résoudre le plus compliqué des problèmes. Allez vous préparer ; on part dans quinze minutes.

— Et moi, alors ? a lancé Ludovic. Tu m'as oublié dans ton programme.

— Ah oui, c'est vrai ! Toi, mon grand, tu iras à ton entraînement en autobus.

— Quoi ? Mais il faut que je prenne deux bus, s'est lamenté mon aîné, qui n'avait aucune envie de prendre les transports en commun.

— Alors, vas-y à pied. Ou en vélo. Ça sera un excellent échauffement pour ton entraînement.

Ludovic n'était pas content du tout. Il trouvait injuste de ne pas avoir de transport. Il a même menacé de ne pas aller à son entraînement.

— Jeune homme, lui a dit papa, si tu es assez vieux pour sortir les soirs de fin de semaine avec tes amis, tu es aussi assez vieux pour te déplacer par tes propres moyens jusqu'à tes cours. Si jamais j'apprends que tu as manqué ton entraînement, toi qui criais au scandale quand j'ai suggéré que l'un de vous rate son activité, tu auras affaire à moi. C'est compris ?

Ludo n'avait pas le choix. Papa, Nathan et Benjamin sont partis. Peu de temps après, les parents de Laurence sont venus me chercher et Ludo est resté seul.

* * *

On s'est tous retrouvés à la maison à la fin de la journée avec une faim d'ogre. Malheureusement, papa avait oublié de penser à un souper. Énervé parce qu'on n'arrêtait pas de lui demander quand on allait manger, il cherchait désespérément dans le réfrigérateur et le garde-manger de quoi nous faire un repas.

— Mais il n'y a rien dans ce frigo ! s'est-il exclamé.

— C'est parce que maman fait l'épicerie le samedi d'habitude, a dit Benji.

— Oh! C'est vrai. J'ai oublié de faire l'épicerie… a soupiré papa. Bon, puisqu'on n'a rien à manger et que votre mère n'est pas là, profitons-en pour commander de la pizza.

— Oui! s'est-on écriés en chœur.

— Et tant qu'à commander de la pizza, on pourrait se louer un film. Qu'est-ce que vous en dites?

— Oui! a-t-on encore répondu d'une seule voix.

C'est ainsi qu'on a passé une super soirée à manger de la pizza et à regarder un film génial: *Le Seigneur des anneaux*. Même Ludo est resté à la maison pour une fois. Maman avait toujours refusé qu'on voie ce film, car elle le trouve trop violent pour nous. J'avoue qu'il faisait quand même

peur et qu'il y avait des personnages vraiment effrayants et beaucoup de batailles. Mais on l'a beaucoup aimé.

Malheureusement, Benjamin a fait d'horribles cauchemars toute la nuit. Il n'a pas arrêté de se réveiller en hurlant et en pleurant. Ce qui m'a moi aussi réveillée puisqu'on partage la même chambre. Malgré tous mes efforts pour le calmer, il était complètement paniqué. Chaque fois, il a fallu que j'aille réveiller papa pour qu'il vienne le rassurer. Benji était persuadé qu'une créature étrange se cachait dans notre chambre, prête à nous attaquer. Il refusait de se rendormir avant que papa vérifie sous les lits, dans l'armoire et dans chaque recoin que personne ne s'y cachait. C'était pénible.

J'étais vraiment fatiguée le lendemain matin, avec l'impression de
n'avoir pas fermé l'œil de la nuit.
Benjamin et papa aussi avaient l'air
de dormir debout. Une nuit difficile!
La voix de maman a soudain résonné
dans ma tête: «Non, mais quelle idée
stupide de leur faire voir *Le Seigneur
des anneaux*! Et le soir en plus!»
C'est exactement ce qu'elle aurait dit
à papa si elle avait été là. Aucun doute
là-dessus!

Que dire de la journée qui a suivi...
Un dimanche à oublier, qu'on n'ou-
bliera probablement jamais...

Durant la matinée, papa a reçu un
coup de téléphone et il a dû partir d'urgence pour régler un problème infor-
matique chez un de ses clients. Papa

est informaticien à son compte, alors il lui arrive de travailler le soir ou la fin de semaine. Comme ce dimanche-là.

Avant de partir, il nous a dit de nous débrouiller pour le dîner et qu'il serait de retour dans l'après-midi. Ce n'était pas la première fois qu'on restait seuls. Sauf que d'habitude, quand nos parents partent, c'est Ludovic qui nous garde. Le truc, c'est qu'après le départ de papa, Ludo s'est subitement souvenu qu'il avait un travail d'équipe très important à terminer et qu'il devait aller chez son ami. Moi, je crois qu'il cherchait simplement une bonne excuse pour sortir de la maison.

— Mais tu es censé nous garder ! Tu ne peux pas t'en aller comme ça, lui a dit Nathan.

— C'est vrai, a rajouté Benjamin en relevant le menton, les bras croisés. Tu n'as pas le droit de partir. Les parents ne seraient pas d'accord.

— Ah ouais? Et ils sont où, les parents? Hein? lui a demandé Ludo. Tu les vois quelque part, toi? Moi, non.

— Tu sais très bien que, même s'ils ne sont pas là, tu ne peux pas nous laisser tout seuls, ai-je dit pour ajouter mon grain de sel. C'est ta responsabilité de nous garder.

— Est-ce que l'un de vous a entendu papa me demander de vous garder? a-t-il rétorqué, un large sourire aux lèvres.

Nathan, Benjamin et moi, on s'est regardés en haussant les sourcils. Ludo

avait raison. Dans son départ préci-
pité, papa avait oublié de lui en parler.

— Non, c'est vrai. Mais, en tant que
frère aîné, tu dois t'occuper de nous en
l'absence d'adultes, a dit Nathan d'un
ton très sérieux.

— Peut-être mais, entre mes études et
vous, eh bien, je choisis mes études.
Les parents m'approuveraient à cent
milles à l'heure. De toute manière, s'il
y a une urgence, vous pouvez toujours
me joindre sur mon cellulaire.

Ludo avait sorti l'argument mas-
sue : les fameuses études. Nos parents
nous répètent à longueur d'année que
nos études doivent être notre priorité
dans la vie ; qu'il faut les prendre très
au sérieux si on a envie d'avoir un bon

métier plus tard. Que pouvait-on lui répondre?

Rien. Absolument rien. Benjamin a alors sorti son arme préférée: les larmes. Il est très doué en la matière. Dès que quelque chose ne fait pas son affaire, notre petit frère se métamorphose en fontaine. On dirait qu'il pleure sur commande. Un vrai comédien! Parfois, sa technique fonctionne; parfois, pas. Cette fois-ci, ça n'a rien donné. Ludovic l'a complètement ignoré. Il nous a souhaité une bonne journée avant de claquer la porte derrière lui. Nous laissant seuls.

CHAPITRE 4

Une terrible vengeance

On était très fâchés, Nathan, Benjamin et moi, d'avoir été abandonnés par notre grand frère. En même temps, on était fiers qu'il nous considère comme assez grands pour nous garder nous-mêmes. Mais ça, on ne voulait surtout pas qu'il le sache.

Alors, on a élaboré un plan pour se venger de Ludovic. Qu'est-ce qu'on a été bêtes! Si on avait su toutes les conséquences que notre plan allait entraîner, jamais on ne l'aurait mis en application. Oh que non! Mais on ne pouvait pas savoir…

Notre plan n'était pas sorcier. Il consistait simplement à ne rien ranger de la journée. Rien de rien. On allait tout laisser traîner derrière nous; et ce serait à Ludovic de tout ranger. Ce serait sa punition. Notre douce vengeance.

On a passé la matinée à jouer à toutes sortes de jeux de société, en prenant bien soin de n'en ranger aucun. À l'heure du dîner, le salon débordait de cartes, de dés, de pions et de plateaux de jeux. Comme si quelqu'un s'était amusé à vider toutes les boîtes de jeux de la maison.

À midi, on s'est fait des sandwichs aux œufs et au jambon, sans rien ranger derrière nous. Et pas question non plus de faire la vaisselle. Elle attendrait Ludo.

Benjamin a ensuite proposé de faire un gâteau au chocolat pour le retour de maman. Quelle bonne idée! Elle serait si fière de ses trois plus jeunes qu'elle en oublierait sa démission. C'est ce qu'on se disait en préparant notre gâteau.

Que de fous rires on a eus en le concoctant! Surtout quand Nathan a éternué au-dessus d'un bol de farine et qu'elle a revolé partout. «C'est Noël! Il neige», chantait Benjamin en riant.

Le plus drôle a été de monter les blancs d'œufs en neige. Au début, on le faisait avec sérieux. Jusqu'à ce que Nathan – encore lui! – relève, sans le faire exprès, le batteur électrique. Résultat : la mousse d'œufs s'est envolée dans les airs. C'était si joli qu'on a recommencé quelques fois.

Quand on a terminé notre gâteau, la cuisine était dans un état lamentable.

— Comme Ludo n'a pas participé au gâteau-cadeau pour maman, sa contribution sera de faire notre ménage, a joyeusement lancé Nathan avant d'enfourner le gâteau.

Je savais que Ludo hurlerait en voyant nos dégâts et qu'il rouspèterait. Mais j'étais d'accord avec Nathan : il fallait aussi que Ludo participe pour rendre sa bonne humeur à notre mère.

Pendant la cuisson du gâteau, on en a profité pour regarder la télévision. Comme le salon était sens dessus dessous, avec nos jeux éparpillés, on est descendus au sous-sol. Un film venait de commencer. Un film d'espionnage que nos parents nous auraient interdit de voir puisqu'il était destiné aux treize ans et plus. C'était un film captivant.

Soudain, une alarme a retenti dans la maison.

— C'est quoi? a demandé Benji. Un réveille-matin?

— Non, on ne l'entendrait pas d'ici. Est-ce que tu as branché l'alarme de sécurité après le départ de Ludo? m'a demandé Nathan.

— Non ! ai-je répondu alors qu'une deuxième alarme se mettait à sonner, bien plus proche de nous cette fois.

Elle était tellement stridente qu'on devait se boucher les oreilles. En un éclair, on a compris d'où provenait ce son.

— Les alarmes d'incendie ! a-t-on crié en chœur en nous ruant dans l'escalier.

À chaque marche, la fumée s'épaississait. À l'étage, plus on avançait vers la cuisine, plus il devenait difficile de respirer et d'y voir quelque chose. Nos yeux piquaient et notre gorge brûlait. Tandis que Nathan se précipitait pour ouvrir le four et sortir ce qu'il restait du gâteau carbonisé, je me suis dépêchée d'ouvrir les fenêtres. Benjamin,

lui, a couru ouvrir les portes. Il fallait absolument aérer la maison avant qu'on meure étouffés.

— Oh, mon Dieu! Où êtes-vous, les enfants? a-t-on soudainement entendu à travers les sirènes d'alarme.

Ça nous a fait sursauter et Nathan – toujours lui – a échappé le gâteau par terre. Comme le moule était brûlant, il a collé au linoléum, qui s'est instantanément mis à fondre. Un épais nuage de fumée accompagné d'une atroce odeur de plastique brûlé ont envahi la pièce.

Sans attendre d'explication, papa s'est rué sur le moule et l'a jeté dans l'évier. Puis, il a fait couler de l'eau en hurlant. Dans sa précipitation, il avait oublié de mettre des gants de cuisine et venait de se brûler le bout des doigts.

Malgré les fenêtres et les portes ouvertes, la fumée continuait de remplir la maison ; et les sirènes, de résonner dans nos oreilles.

Un autre type de sonnerie s'est joint au boucan. Personne ne semblait l'entendre à part moi. Réalisant brusquement qu'il s'agissait du téléphone, j'ai couru répondre. Au bout du fil, la téléphoniste de la centrale de pompiers vérifiait si on avait besoin d'aide. Un voisin avait appelé pour dire que de la fumée sortait de la maison. Paniquée, j'ai passé le combiné à papa.

Il devait hurler pour se faire entendre à travers le bruit. Nathan et moi, à l'aide de chaises, de balais et de nombreux efforts, on a enfin réussi à débrancher les trois alarmes. Quel bonheur de retrouver le silence !

Mais ce silence a été de courte durée. Croyez-moi ! Dès que papa a raccroché le téléphone, après avoir assuré les pompiers qu'ils n'avaient pas besoin de se déplacer, il a rugi :

— Non, mais qu'est-ce que c'est que cette pagaille ! Ramenez vos fesses par ici tous les quatre. Et que ça saute !

Oh là là… Notre plan partait en fumée. C'était bien le cas de le dire ! On n'avait absolument pas prévu que papa rentrerait avant Ludovic. Ni que notre gâteau brûlerait. Notre plan de vengeance avait viré à la catastrophe et on allait passer un mauvais quart d'heure.

Penauds, Nathan, Benjamin et moi, on s'est avancés vers papa collés les uns aux autres en regardant nos souliers. Personne n'avait le courage d'affronter son regard.

— Ludovic! a hurlé papa à pleins poumons. Viens ici!

— Heu… c'est que… Ludo… a balbutié Benjamin, les yeux toujours rivés à ses souliers.

— Quoi, Ludo? s'est énervé papa. Qu'est-ce qu'il a fait encore, celui-là? Et regardez-moi donc quand je vous parle.

Lentement, on a relevé la tête en se lançant des coups d'œil. On avait piteuse allure. La culpabilité se lisait sur nos visages.

— Est-ce que l'un de vous veut bien m'expliquer ce qui se passe dans cette maison ? a demandé papa d'un ton ferme.

Nathan a pris une grande inspiration et s'est mis à parler très vite.

— Ludovic n'est pas là. Il est parti étudier chez un ami ce matin. On lui a dit qu'il devait nous garder, mais il a répondu que ses études étaient plus importantes que nous, et que vous seriez d'accord avec lui.

Papa secouait la tête de gauche à droite, l'air mécontent.

— On était fâchés contre lui, ai-je repris avant qu'il nous gronde. Alors, on a décidé qu'on ne rangerait rien de la journée et que ce serait à lui de ramasser derrière nous. C'était un genre de vengeance.

— Bon. Mais pourquoi est-ce que la maison a failli passer au feu? Ça faisait partie de votre vengeance? a demandé papa avec une pointe d'inquiétude dans la voix et le regard.

— Bien sûr que non! Pour qui tu nous prends? a riposté Nathan, insulté que notre père ose penser ça de nous. On a voulu faire une surprise à maman pour son retour et on a préparé un gâteau. Pour se faire pardonner.

— Mais on l'a oublié. On a tout gâché, a murmuré Benji avant d'éclater en sanglots.

Je ne savais pas si ses larmes étaient sincères ou si c'était une fois encore sa technique pour amadouer papa. Peu importe, ça a fonctionné. Les épaules de papa se sont baissées, son visage s'est adouci et sa tête a arrêté de se balancer. J'ai même cru apercevoir l'ombre d'un sourire sur ses lèvres. Il a pris Benjamin dans ses bras et l'a bercé. Ce coquin nous a alors fait un clin d'œil en levant le pouce. Quel comédien, mon petit frère !

CHAPITRE 5

Tel est pris qui croyait prendre !

Ludovic a fait son entrée à ce moment précis. Une entrée des plus remarquées ! De la cuisine, on a entendu un gros « Boum ! », suivi d'une série de gros mots. C'était la voix de Ludo.

Au pas de course, on s'est précipités dans le couloir de l'entrée, pour découvrir mon frère étalé de tout son long, à plein ventre. Dans sa chute, son nez était allé s'écraser contre le plancher et son visage baignait dans une petite flaque de sang. Des poings, il martelait le sol au rythme de ses sacres et de ses cris de douleur.

J'avais tellement, mais tellement envie de rire ! Mais je me retenais : je ne voulais pas subir sa colère. Notre père, par contre, ne s'est pas gêné. Il s'est mis à rigoler de bon cœur.

Piqué au vif, Ludo s'est rapidement relevé avec quelques grimaces de douleur.

— Tu trouves ça drôle ? a-t-il lancé à papa avec des éclairs dans les yeux.

— Je ris de toute cette situation, mon cher, a expliqué papa, souriant. Tes frères et ta sœur cherchaient à se venger parce que tu les as abandonnés. On dirait bien qu'ils ont réussi.

— Quoi? s'est indigné Ludo. Vous avez fait exprès de laisser traîner vos cochonneries pour que je glisse dessus?

Envahi par la colère, il en oubliait sa douleur. Je me suis dépêchée de lui expliquer qu'on ne voulait absolument pas le faire tomber. On voulait seulement qu'il ramasse notre désordre.

— Ne comptez pas sur moi pour ranger. C'est hors de question! a-t-il répondu avant de chercher à s'en aller.

— Pas si vite, jeune homme, l'a arrêté papa. Oh que oui, tu vas ranger! Si tu n'étais pas parti, soi-disant pour étudier, jamais tout cela ne serait arrivé. Alors, tous les quatre, vous allez me faire le plaisir de remettre la maison en état. Et je vous conseille de vous dépêcher, avant que votre mère arrive.

Personne n'a osé rouspéter. Dans un silence de plomb, on s'est tout de suite mis à la tâche. Mais Ludovic nous lançait des regards noirs, à mes frères et à moi.

En rangeant les jeux au salon, notre plan m'a soudainement paru complètement stupide. Car ça a été tout un casse-tête de retrouver et de remettre toutes les petites pièces dans les bons boîtiers. Lorsqu'on s'est attaqués à la cuisine, on s'est demandé comment on avait pu être assez bêtes pour faire de tels dégâts. La farine et les œufs collaient, et on a dû frotter fort pour faire disparaître nos saletés. On s'était peut-être bien amusés sur le moment mais, là, il n'y avait plus rien d'amusant. Dire qu'on pensait que Ludovic ferait tout le travail… Tel était pris qui croyait prendre, comme dit le proverbe !

Deux heures plus tard, il ne restait plus de traces de nos méfaits. Enfin, presque plus… Il restait tout de même une dernière marque – et de taille ! – de notre journée de rébellion : le linoléum fondu devant le four. Pour le dissimuler, Nathan a posé un petit tapis dessus. Ni vu ni connu. En plus, c'était joli.

Quand maman est rentrée, bien après le souper, elle a dit que ça sentait bon «le propre» et nous a remerciés pour cette belle attention. Si elle avait su…

On a été aux petits oignons avec elle le reste de la soirée. Papa aussi avait plein de gentilles attentions.

— Avoir su que j'aurais un si bel accueil à mon retour, je serais partie plus souvent, a-t-elle lancé en riant.

C'était bon de retrouver maman. Une maman souriante et détendue. Je ne l'aurais pas avoué à mes frères, mais elle m'avait manqué. Sans sa présence, la maison semblait vide. Et je me sentais seule, comme fille, sans elle. J'étais donc heureuse, ce soir-là, qu'elle soit à nouveau parmi nous.

Au moment de monter nous coucher, en nous souhaitant bonne nuit, maman a soudain lancé :

— Au fait, les enfants, je vous annonce que je poursuis ma grève. Encore une semaine. C'est tellement agréable de rentrer d'une fin de semaine énergisante entre amies et de trouver la maison aussi belle et propre. En plus, vous me traitez tous comme une invitée de marque ce soir. Je me sens comme une reine dans son palais, a-t-elle soupiré de bonheur, des étoiles dans les yeux. Je suis très fière que vous vous preniez en main et je veux en profiter encore un peu. Bonne nuit, mes grands ! Faites de beaux rêves.

Aucun de nous quatre n'a bougé. Figés au pied de l'escalier, on était incapables de croire ce qu'on venait d'entendre. On n'avait pas envie d'y croire.

— Vous en faites une tête! a rigolé maman. Ma parole, mais toi aussi, mon chéri, tu fais une drôle de tête! a-t-elle ajouté en regardant papa.

— Je suis juste surpris de ton annonce, mon amour, a répondu papa en tentant d'afficher un beau sourire, qui semblait légèrement forcé.

— Vous vous débrouillerez très bien sans moi, a répondu maman.

— Est-ce que tu vas repartir? a demandé Benjamin, les larmes aux yeux.

— Mais non, mon grand. Je vais simplement continuer de ne pas participer aux tâches ménagères. Cette semaine, je ne ferai ni cuisine, ni vaisselle, ni lavage, ni rangement. Je ne ferai pas non plus vos boîtes à lunch ni le transport pour vos activités.

— Quoi? se sont écriés Ludovic et Nathan en sautant au plafond. Tu ne peux pas nous faire ça, maman! Comment on va aller à nos entraînements?

— Vous vous arrangerez avec votre père et les transports publics. Filez vous coucher maintenant! Il se fait tard.

La mort dans l'âme, on est montés en soupirant. Ludo était fâché et marchait sur les talons, comme un éléphant. Nathan, irrité, n'arrêtait pas de soupirer bruyamment. Évidemment, Benji pleurait. Pour ma part, j'étais totalement découragée. Quelle semaine nous attendait ?

CHAPITRE 6

De mal en pis...

Le lundi matin, notre mère a fait la grasse matinée. On a donc déjeuné en essayant d'être le plus silencieux possible. Ce qui n'est pas facile, il faut l'avouer. Alors qu'on s'apprêtait à quitter la maison, Nathan s'est brusquement exclamé, sans plus faire attention au sommeil de maman :

— Papa, elles sont où, nos boîtes à lunch ?

Du fond de la cuisine s'est échappée une série de jurons que je n'oserais pas répéter. Au pas de course, papa est arrivé avec son portefeuille en main.

— J'ai complètement oublié vos dîners. Mais franchement, vous auriez pu y penser quand même. Vous êtes assez vieux. Bon, aujourd'hui, vous mangerez à la cafétéria, nous a-t-il dit en tendant à chacun un billet de cinq dollars.

Mes grands frères et moi, on était super contents. On adore manger à la «café», mais nos parents préfèrent qu'on apporte nos propres dîners. Alors, en ce lundi matin, on trouvait que la semaine commençait sur une très bonne note. Par contre, notre petit frère n'était pas de notre avis.

— Il n'y a pas de cafétéria à mon école, s'est plaint Benjamin. Je vais faire quoi, moi ?

— Même pas un service de dîners chauds ? a demandé papa, une pointe de panique dans la voix.

— Si, mais pas les lundis.

— Il doit bien y avoir un service de repas pour ceux qui ont oublié leur dîner, non ?

— Oui, mais on nous sert des boîtes de nouilles aux tomates et c'est dégueulasse, a répondu Benjamin avec une grimace.

— Tu vas devoir t'en contenter pour aujourd'hui, fiston, a dit papa, soulagé. Arrête de pleurnicher, Benji. Ce n'est pas la fin du monde de manger une boîte de nouilles de temps en temps.

— Mais je déteste ça.

— Allez, ouste, filez maintenant! Bonne journée, les enfants!

— Salut, papa! a-t-on répondu en chœur.

* * *

À notre retour de l'école, on a été accueillis par un silence inhabituel. Normalement, maman nous crie «Salut, les enfants!» du fond de son bureau, avant de venir nous faire un câlin. Mais aujourd'hui, ni bonjour ni câlin. Rien que du silence.

— Maman? Hou! hou! maman? Tu es là? a demandé Benji en se déshabillant et en laissant traîner ses vêtements par terre.

Aucune réponse.

— Elle a dû profiter de sa grève pour aller magasiner, a suggéré Nathan.

— Non, je ne crois pas, ai-je dit pour prendre sa défense. Je pense plutôt qu'elle est allée rencontrer un de ses clients.

Comme notre père s'absente souvent jusque tard le soir pour son travail, j'espérais qu'il rentrerait à temps pour nous préparer à manger. J'ai fait part de mes craintes à mes frères. On a été vérifier dans le frigo et dans le four, pour voir si un bon souper nous y attendait. Aucune trace de repas. En plus, le réfrigérateur était presque vide.

— J'espère que papa va rentrer bientôt, a dit Ludovic. Sinon, on va devoir

cuisiner nous-mêmes. Et vu le peu d'in-
grédients à notre disposition, je n'ai pas
vraiment envie de jouer au chef.

On était tous d'accord avec lui. En
attendant papa, on a fait nos devoirs.
Puis, on en a profité pour jouer à
l'ordinateur et à la console vidéo.
D'habitude, c'est strictement interdit
les jours de semaine. Nos parents sont
très sévères là-dessus. On n'y a droit
que les fins de semaine ou les jours de
congé. Mais comme ils n'étaient pas là,
on n'allait pas se gêner.

Les heures ont passé sans qu'on
s'en rende compte. Mais quand nos
estomacs se sont mis à gargouil-
ler, on a dû se rendre à l'évidence : il
fallait préparer notre propre souper.

En soupirant bruyamment, on s'est dirigés vers la cuisine.

Nathan a posé un linge plié sur son bras et, avec une révérence, a imité un maître d'hôtel :

— Madame, Messieurs, au menu de ce soir, vous avez le choix entre : des céréales croquantes arrosées de quelques gouttes de lait ; un œuf miroir sans bacon ni saucisses ni pommes de terre, mais accompagné de deux tranches de pain grillé ; ou encore, des spaghettis au beurre et au ketchup. Je vous laisse réfléchir et reviendrai prendre vos commandes.

On a rigolé, même si le cœur n'y était pas vraiment. Rien de très appétissant à se mettre sous la dent. On a quand même tous mis la main à la pâte et on s'est fait à manger. Évidemment, il y a eu quelques disputes pour savoir qui mangerait quoi, mais on a fini par s'entendre.

Alors qu'on débarrassait la table, la porte d'entrée s'est ouverte. Je me demandais lequel de nos parents arrivait enfin. Il était déjà plus de 20 h 30. La réponse n'a pas tardé :

— Qu'est-ce que c'est que ce bordel dans l'entrée ! a crié papa.

Aïe ! Ça commençait mal. On s'est précipités vers l'entrée.

— Regardez-moi ça, a-t-il dit avec un grand geste. Vous voulez que je me casse la figure comme Ludo hier ?

Par terre traînaient les vestes, gilets et casquettes de Benjamin et Nathan. Nos souliers encombraient le passage et nos sacs d'école étaient empilés dans un coin.

— Il y a des crochets dans le vestibule. Depuis quand vous êtes autorisés à ne pas ranger vos affaires?

Sans un mot, on a mis un peu d'ordre, ce qui a semblé calmer papa. Momentanément, du moins. Parce que quand il a appris qu'il ne restait rien pour souper, il s'est dirigé d'un pas décidé vers la cuisine.

— Non seulement vous ne me laissez rien à manger, mais en plus vous ne faites même pas la vaisselle.

Avec beaucoup de précautions, je lui ai résumé la situation : on avait mangé le peu qu'il restait dans le réfrigérateur et on s'apprêtait à faire la vaisselle lorsqu'il est arrivé. Cette explication ne lui a pas plu. Il ne comprenait pas pourquoi on avait fini de manger aussi tard. Là, on n'avait pas d'explication à lui offrir. On ne pouvait quand même pas lui dire qu'on avait joué à l'ordinateur et aux jeux vidéo. Il était déjà assez fâché comme ça.

— Si le frigo était vide, vous auriez dû aller faire l'épicerie, a-t-il dit, les bras croisés.

— On n'a pas assez d'argent, papa, a murmuré Benjamin. Vous dites toujours que ça coûte cher, l'épicerie, maman et toi.

— Et on n'a pas de voiture, a renchéri Nathan. Elle est loin, quand même, l'épicerie.

— Non, mais je rêve ! Quelle bande de fainéants vous faites, s'est écrié papa, qui commençait à vraiment s'énerver. Vous auriez pu y aller en vélo. Et mettre les courses dans vos sacs à dos. Quant à l'argent, vous auriez pu réunir vos économies. Et moi, a-t-il ajouté en soupirant, je n'aurais pas été obligé d'y aller à 21 h.

Aucun de nous n'a répondu. Il n'y avait rien à répondre. Papa avait raison, sur toute la ligne. Le problème, c'est que pas une seconde on a pensé à faire l'épicerie. Je n'étais pas fière de nous. En même temps, je me disais que c'était quand même un peu sa faute, à papa. Il aurait dû faire l'épicerie : ça fait partie des tâches des parents. Mais j'ai gardé mes pensées pour moi et je suis restée silencieuse.

— Tout ça, c'est la faute de maman, a soudain lâché Ludovic. Si elle n'était pas partie, vous auriez fait l'épicerie samedi, comme d'habitude.

— Ah non ! a rugi papa. Tu ne vas pas mettre la faute sur ta mère maintenant. Oh que non ! C'est trop facile. J'en ai assez de vous entendre toujours rejeter la faute sur quelqu'un d'autre. À vous entendre tous les quatre, vous n'êtes jamais coupables de quoi que ce soit. C'est toujours la faute d'un autre. Ça suffit! Il est grand temps de vous responsabiliser, mes enfants. Et je vais vous y aider. Assoyez-vous et écoutez-moi bien.

Papa s'est mis à marcher de long en large dans la cuisine. Il semblait réfléchir. On attendait en se jetant des coups d'œil. Ludo levait souvent les yeux au ciel et soufflait, l'air de dire que c'était long et pénible. Benji, lui, avait comme des points d'interrogation dans les yeux. Son regard se promenait de papa à nous trois. Je lui faisais des sourires et des clins d'œil pour le rassurer mais, franchement, je n'étais pas très rassurée moi-même. J'étais même plutôt inquiète.

CHAPITRE 7

Solidarité parentale oblige

Mon inquiétude a augmenté quand Ludo s'est mis à tambouriner du bout des doigts sur la table, pour montrer à papa qu'il s'impatientait. Je lui ai fait les gros yeux pour qu'il arrête. Mais ça a malheureusement eu l'effet contraire. Avec un grand sourire, il a continué un peu plus fort, en accompagnant son rythme de gros soupirs sonores. Encore une fois, il cherchait à provoquer papa. J'en voulais à mon grand frère de nous mettre dans cette situation.

Mais papa continuait d'arpenter la cuisine en nous ignorant. Enfin, il a pris une chaise et s'est assis avec nous.

— Ludovic, s'il te plaît, arrête de marteler la table comme ça, lui a-t-il demandé. J'ai compris ton message. Les enfants, écoutez-moi bien, s'il vous plaît. Je me rends compte que nous vous avons trop gâtés, votre mère et moi. On vous a habitués à être servis sans que vous ayez à lever le petit doigt. Oui, oui, c'est notre faute, je le sais. Mais il n'est pas trop tard pour remédier à cette situation.

Notre père s'est arrêté pour prendre une grande inspiration. Il souriait, l'air satisfait. Jusque-là, tout allait bien. Mais je m'attendais au pire et je redoutais la suite. J'avais hâte qu'on en finisse, surtout que j'avais besoin d'aller aux toilettes.

Nathan, moins patient que moi, s'est brusquement emporté :

— Bon, papa, c'est pour aujourd'hui ou pour demain, ton explication ? Parce qu'il est tard et qu'on a des cours demain, au cas où tu l'aurais oublié.

— Non, je ne l'ai pas oublié, Nat, a dit papa, qui se contrôlait pour rester calme. Je te remercie de me rappeler à l'ordre. Je vous annonce que je vais suivre l'exemple de votre mère.

En silence, il s'est adossé contre le dossier de sa chaise en croisant les bras et nous a regardés à tour de rôle avec un sourire malicieux. Apparemment, il avait terminé. Mais je ne comprenais pas ce qu'il avait voulu dire.

J'ai cherché une réponse dans les yeux de mes frères. Benjamin était aussi perdu que moi et son regard continuait d'exprimer des points d'interrogation. Nathan paraissait exaspéré. Et Ludo avait imité la position de papa, adossé, les bras croisés et un sourire en coin.

Mon envie d'uriner devenait urgente. Il fallait que je me lève avant une catastrophe.

— Heu, je n'ai rien compris, papa, mais là, je dois absolument aller aux toilettes, ai-je dit en gigotant sur ma chaise. Est-ce que je peux y aller et tu m'expliqueras après ?

— Bien sûr, ma grande! Vas-y! On t'attend.

J'ai filé à toute allure et je suis arrivée juste à temps. Quel soulagement! Je croyais que j'allais exploser. Alors que je me lavais les mains, une dispute a éclaté dans la cuisine. Nathan, Ludo et papa criaient. Benjamin répétait: «Arrêtez! Mais arrêtez!» J'ai entendu des bruits de chaises qui tombaient. Ho là là! Ça brassait. J'étais en train de manquer quelque chose.

Je suis sortie de la salle de bain en courant. Arrivée proche de la cuisine, j'ai entendu deux portes claquer à l'étage. Autour de la table, il ne restait que Benji, qui pleurait sur les genoux de papa.

Avec un petit sourire, papa m'a fait signe d'approcher. Je me suis assise à côté de lui et je lui ai souri à mon tour. J'étais contente, et même soulagée, que mes grands frères ne soient plus là. Devant eux, je n'ose pas toujours poser les questions que j'aimerais. J'ai peur qu'ils me trouvent bébé, qu'ils se moquent de moi. Alors, ça faisait mon affaire qu'ils soient dans leur chambre. J'allais pouvoir parler plus librement avec papa.

— Papa, ça veut dire quoi, que tu vas suivre l'exemple de maman ? lui ai-je demandé.

— Simplement que moi aussi, je démissionne de mon rôle de père.

— Quoi ? Comment on va faire sans parents ?

J'étais paniquée. Déjà que, sans maman, la vie était différente. Alors, sans papa non plus, ça serait infernal. Les idées tournaient à cent kilomètres-heure dans ma tête. Je nous imaginais croulant sous les tâches domestiques…

Calmement, papa m'a expliqué qu'il prendrait quelques jours de repos de son rôle de père. Il était d'accord avec maman que ça nous ferait le plus grand bien. Cela nous rendrait plus autonomes, plus responsables. Et plus conscients de tout ce que nos parents faisaient chaque jour pour nous. J'ai eu beau lui dire que j'en étais bien consciente, que j'avais beaucoup appris depuis la démission de maman et qu'il n'avait pas besoin de démissionner lui aussi, papa m'a confirmé que sa décision était déjà prise.

Mais il m'a promis qu'avant de quitter ses fonctions de père, il ferait une grosse épicerie, quelques lavages et un peu de ménage. Histoire de nous laisser la maison en bon ordre. Mais ensuite, ce serait à nous quatre de voir au bon fonctionnement de la maison.

Lorsque je lui ai demandé combien de temps allait durer leur démission, papa a répondu: «Cela dépendra de vous, les enfants. Mettez-y de la bonne volonté et on reviendra vite. Sinon… ça pourrait être long!»

Ce soir-là, je me suis couchée complètement découragée par la vie. Et par ma famille!

CHAPITRE 8

Un étrange goût de liberté

Le mardi matin, pendant que nos parents commençaient leur grève solidaire, mes frères et moi, on courait à droite et à gauche : pour déjeuner, préparer nos boîtes à lunch, nous habiller, faire nos sacs et ranger un peu la cuisine. D'un commun accord, on a décidé que la vaisselle attendrait notre retour de l'école.

Alors qu'on s'apprêtait à partir, nos parents se sont pointé le bout du nez pour nous embrasser et nous souhaiter une bonne journée. Benji et moi, on leur a sauté au cou, alors que Nathan et Ludovic les ont quasiment ignorés. En partant, j'espérais qu'on avait assez bien fait ça, le matin, pour que nos parents cessent leur grève. Que j'étais sotte ! C'était bien mal les connaître.

Car quand Benjamin et moi, on est rentrés de l'école, un peu avant nos frères, non seulement nos parents n'étaient pas là et n'avaient rien rangé mais, en plus, ils nous avaient laissé leur vaisselle sale. Alors, on s'est attaqués à la vaisselle en attendant les autres. Comme je ne sais pas faire fonctionner le lave-vaisselle, on l'a faite à la main.

Avec pour résultat deux verres cassés
et une coupure pour Benji. Malgré
tout, on était très fiers de nous.

Pour souper, Ludo nous a fait du
spaghetti à la sauce tomate. C'était loin
d'être aussi bon que le spaghetti de
papa, mais ça a fait l'affaire. Après, on

a voulu regarder la télévision avant de faire la vaisselle. Mais encore une fois, on n'a pas vu le temps passer. Quand nos parents sont arrivés, un peu avant 21 h, on était encore devant l'écran.

On s'est regardés, mes frères et moi, nous attendant à nous faire gronder. Mais à notre grand étonnement – et soulagement, je dois dire! –, nos parents nous ont simplement demandé de monter nous coucher. Sans rouspéter, on les a embrassés avant de filer en haut en leur promettant qu'on ferait la vaisselle le lendemain matin.

Couchée dans mon lit, je me sentais libre et grande. On avait réussi à passer la journée comme des grands, sans parents. Pourtant, une chose me manquait terriblement: leurs câlins. Maintenant que j'en étais privée, je réalisais comme j'aimais ces moments collés contre eux. Comme s'il avait lu dans mes pensées, papa a passé la tête par la porte :

— Est-ce que je peux venir te border, ma Cléo ? m'a-t-il demandé.

— Bien sûr, mon papounet !

C'était bon de sentir ses puissants bras me serrer et sa grosse main caresser mes cheveux.

— Bonne nuit, ma belle. Fais de beaux rêves ! a-t-il soufflé en déposant un baiser sur mon front.

— Toi aussi, papa.

Puis, maman est venue à son tour. J'ai fait le plein de câlins, ne sachant pas quand j'aurais droit aux prochains...

* * *

Le mercredi matin, tout allait bien, jusqu'à ce que Nathan se mette à crier :

— Quelqu'un a vu mon équipement de hockey ? J'ai mon entraînement ce soir.

Pas de réponse.

— Quand est-ce que tu l'as utilisé la dernière fois ? lui ai-je demandé.

Il a réfléchi, puis s'est écrié :

— Samedi ! Oh non !

On pouvait voir la panique sur son visage. Il est parti en courant. Puis, on a entendu des gros mots et il est revenu avec son sac de hockey, l'air dépité.

— Je l'avais oublié dans le garage. Normalement, maman lave mon linge après les parties.

Quand il a ouvert son sac, une désagréable odeur a envahi la cuisine.

— Referme ton sac! a crié Ludovic. Ça pue l'diable, comme dirait mamie.

On a tous rigolé. Nathan était découragé: il ne pouvait tout de même pas aller à son entraînement en puant de la sorte. Brusquement, j'ai pensé que j'allais au soccer ce soir-là et que moi non plus je n'avais pas lavé ma tenue. Heureusement, j'en ai plusieurs de rechange.

J'ai proposé à Nathan de faire un lavage s'il s'occupait de ma boîte à lunch.

— Tu es ma sauveuse, Cléo! a-t-il lancé, soulagé.

C'était la première fois que je faisais fonctionner la machine toute seule. Mais j'avais vu maman le faire des centaines de fois et ça n'avait pas l'air compliqué. Je l'ai donc démarrée en me bouchant le nez quand j'y ai mis les vêtements de hockey. J'ai couru vider les paniers à linge et je suis revenue avec une immense pile. Décourageant! J'ai donc trié et lavé le plus important: bas, sous-vêtements et quelques tee-shirts. Il faudrait faire au moins trois ou quatre autres lavages pour arriver au bout de cette pile.

Au moment où nous partions, nos parents sont descendus nous embrasser. Benji et moi, on les a collés longtemps. Alors que Ludovic allait ouvrir la porte, maman a lancé:

— N'oubliez pas la vaisselle, mes amours. Elle commence à drôlement s'accumuler.

Mes grands frères m'exaspéraient. Ils auraient quand même pu s'en occuper pendant que je faisais la lessive.

* * *

À notre retour, Benji et moi, on a décidé de ne pas faire la vaisselle tout seuls, cette fois. On attendrait nos frères. J'ai alors pensé au lavage et je suis allée le mettre dans la sécheuse. Tout un choc m'attendait : un vêtement rouge avait déteint sur d'autres vêtements, qui étaient roses à présent. Quelle catastrophe ! Le cœur battant, j'ai tout jeté dans la sécheuse les yeux fermés, pour ne pas voir mes dégâts, et je l'ai mise en marche. Qu'est-ce que j'avais fait ? Nathan et Ludo allaient m'assassiner si leurs vêtements étaient devenus roses.

Il fallait que je soupe avant mon entraînement de soccer, alors je me suis fait un sandwich au jambon et j'ai mangé en étudiant mes leçons. Benji a préféré attendre les autres pour un vrai souper. Le pauvre! Quand ils sont arrivés, Ludo a dit que ce soir-là on mangerait des sandwichs au jambon ou au beurre d'arachides. Benjamin a rouspété, mais Ludo lui a dit qu'il avait beaucoup d'études, et pas le temps de cuisiner. Si Benji n'était pas content, il n'avait qu'à aller manger chez les voisins. Tiens! Ludo se mettait à parler comme nos parents!

Juste avant de partir pour le soccer, j'ai averti Nathan que les vêtements étaient dans la sécheuse. Puis, j'ai filé en quatrième vitesse, une grosse boule dans l'estomac. Mes grands frères allaient m'étriper à mon retour…

CHAPITRE 9

Ras-le-bol !

J'ai pris tout mon temps pour rentrer du soccer, faisant mille et un détours, juste pour retarder le moment où je devrais affronter mes frères… et leurs vêtements roses. Si j'avais pu le faire, j'aurais escaladé le mur de ma chambre et je serais entrée par la fenêtre, ni vu ni connu. Malheureusement, je ne suis pas la femme-araignée. Dommage, parce que mes frères se seraient tenus à carreau si ça avait été le cas.

Je suis donc entrée par la porte sur la pointe des pieds, essayant d'être aussi discrète qu'une souris. La chance était avec moi, car Nathan n'était pas encore revenu de son entraînement. Ludo et Benji regardaient la télé.

— Salut, sœurette ! m'a lancé Ludo. Si j'étais toi, j'irais vite me coucher.

Pas besoin de lui demander pourquoi : je le savais très bien. J'ai donc suivi son conseil après un détour par la cuisine pour prendre une collation. En allumant, j'ai sursauté. Quel spectacle ! La cuisine était un vrai désastre. La vaisselle sale avait envahi le comptoir et l'évier, la poubelle débordait et la table n'était pas desservie. J'étais complètement découragée… J'ai voulu me préparer un bol de céréales, mais j'ai dû y renoncer : non seulement il n'y avait plus un bol propre, en plus, la pinte de lait était vide. J'ai pris une pomme en soupirant et je me suis précipitée dans ma chambre, le cœur gros.

Est-ce que ma vie redeviendrait normale un jour ? J'en avais assez de ne plus avoir de parents, assez de vivre dans une soue à cochons. Je voulais retrouver ma vie d'avant. C'est vrai qu'au début, c'était plutôt sympa de faire ce qu'on voulait – regarder la télé longtemps, jouer à la console vidéo – sans se faire gronder par nos parents. Mais là, je n'y trouvais plus de plaisir. Mes parents me manquaient. Même les entendre crier contre nous me manquait. C'est pour dire…

Il fallait que ça change. Si on continuait comme ça, jamais nos parents n'arrêteraient leur grève. Et franchement, je les comprendrais. Le lendemain, je parlerais à mes frères.

J'étais couchée depuis un bon moment quand j'ai entendu Nathan rentrer. «Avec un peu de chance, il sera moins fâché demain», ai-je songé.

* * *

— Te voilà, toi! m'a lancé Nathan alors que j'entrais dans la cuisine. Je veux te remercier de m'avoir fait passer pour un vrai clown hier. Toute l'équipe a ri de moi. Non, mais à quoi tu as pensé, Cléo? m'a-t-il crié.

— Je voulais seulement t'aider, ai-je répliqué, des sanglots dans la voix. Je ne l'ai pas fait exprès. Tu avais juste à le faire, ton lavage !

Et j'ai fondu en larmes. À cet instant, j'aurais tout donné pour me réfugier dans les bras de maman. Benji l'a compris et est venu me faire un gros câlin. Il avait les larmes aux yeux. En l'observant, j'ai vu comme il avait l'air fatigué. Ça ne pouvait plus durer.

Essuyant mes larmes, j'ai dit :

— On ne peut plus continuer comme ça, les gars.

— Comme quoi ? a demandé Nathan avec un sourire moqueur.

— Arrête de faire l'imbécile, ai-je répondu en croisant les bras. Regarde

autour de toi. Cette cuisine est dégueulasse ! La maison ressemble à une por-
cherie. Et regardez Benjamin : ça n'a
pas de sens, les cernes sous ses yeux.
Arrêtez de penser juste à vous ! Vous
êtes les grands frères, quand même.
C'est à vous de vous occuper de la maison. Et de nous !

Ça m'avait fait un bien fou de dire
tout ça. Je me sentais plus légère, soulagée. Nathan et Ludo se regardaient
en levant les yeux au ciel, des petits
sourires en coin. Ce qu'ils pouvaient
m'énerver, ces deux-là !

— Elle a raison, Cléo, a renchéri
Benjamin. Il faut faire le ménage, pour
que les parents reviennent. Je veux que
les parents redeviennent des parents.

Je veux mes parents! a-t-il ajouté en éclatant en sanglots.

Nos grands frères faisaient moins les malins. Ils avaient même l'air désolé.

— Arrête de pleurer comme ça, Benji, lui a dit Ludo en le serrant dans ses bras. Vous avez raison, les petits. On va se prendre en main. On va montrer aux parents qu'on est des grands frères responsables. Pas vrai, Nat?

— Ouais, ouais, a soupiré Nathan, l'air peu convaincu.

— Demain, c'est journée pédagogique, donc congé, a repris Ludo. On fera le ménage. La petite madame est contente? m'a-t-il demandé.

Je déteste ça quand il m'appelle de cette façon. Mais j'ai acquiescé.

— En grand frère responsable, je vous annonce qu'on a intérêt à se dépêcher si on ne veut pas rater l'autobus.

Ça a été la course panique pour finir les boîtes à lunch, nous laver les dents et partir en trombe pour sauter dans l'autobus, qui nous attendait. Tout ça, sans même voir nos parents.

* * *

Nous voilà donc une semaine après le début des événements, vendredi. Vous comprenez à présent le cauchemar que je vis, avec ce chaos qui règne dans notre maison. Et j'espère que vous comprenez aussi mon ras-le-bol.

Je suis bien décidée, ce matin, à faire bouger les choses pour retrouver ma vie. Même si c'est congé, je me suis levée tôt, pour commencer le ménage. Je n'attendrai pas mes paresseux de frères.

Sur la table de cuisine, je trouve un mot :

« Salut, les enfants ! Nous sommes partis pour la journée. Attendez-nous pour le souper : nous avons à vous parler. Bonne journée. Vos parents démissionnaires. ☺ »

La maison doit être impeccable pour leur retour. En soupirant, je m'attaque donc à la vaisselle. Un de mes frères a enfin pris l'initiative de démarrer le lave-vaisselle. Je le vide, puis le remplis à nouveau. Il reste encore un tas d'assiettes, de plats et de casseroles sales que je lave à la main.

Je viens à peine de terminer que mes frères débarquent dans la cuisine pour déjeuner. Et resalir de la vaisselle. Qu'ils ne comptent pas sur moi pour la laver !

— Merci pour la vaisselle, Cléo, lance Ludo, ce qui me surprend. Dites, j'ai eu une idée de génie cette nuit.

— Toi ? se moque Nathan.

— Pff. On devrait appeler la femme de ménage pour qu'elle nous aide.

— Bonne idée ! s'enthousiasme Benji.

— Et on va la payer avec quoi ? je demande.

— En mettant nos économies en commun, propose Ludo.

On court dans nos chambres vider nos tirelires. Ensemble, on a 46,65 $, pas très équitablement distribués. Il ne reste qu'à espérer que la femme de ménage accepte notre offre.

Comme personne ne veut l'appeler, on tire à la courte paille. Le sort tombe sur Benjamin, alors on recommence. C'est Ludo qui pige la petite paille. Il n'est pas content, mais appelle madame Tissot. On retient notre souffle pendant qu'il lui explique qu'on aurait besoin de ses services. Et on soupire de soulagement quand Ludo la remercie et lui dit : « À tout de suite ! »

Madame Tissot habite notre quartier, alors elle arrive peu de temps après. On est sauvés ! Elle va redonner son éclat à notre maison. Enfin, c'est ce qu'on espère… En entrant, elle fait une drôle de grimace et secoue la tête de gauche à droite, puis nous demande où sont nos parents.

— Ils font la grève pour nous « responsabilités », explique fièrement Benjamin alors que nos deux grands frères lui font les gros yeux et que moi, je ris de sa phrase.

— C'est une bonne chose de vous apprendre à vous responsabiliser, dit madame Tissot. Apparemment, vous en avez grandement besoin.

— On a surtout besoin de votre aide, Madame, lance Ludo d'un ton suppliant.

— Vos parents vous donnent une excellente leçon, les enfants. Et je m'en voudrais d'intervenir dans leur éducation. Alors, je vous remercie pour votre offre, mais je me vois dans l'obligation de la refuser, annonce-t-elle avant de nous souhaiter bonne chance et de partir.

Encore une fois, notre plan a échoué. On vient de perdre notre dernier espoir. Alors, dans un concert de soupirs, on se met au travail. On commence par le salon, qu'on range, époussette, aspire, aère. Si on est contents de nous lorsque le salon est redevenu présentable, on est découragés de penser que ça va nous prendre toute la journée pour passer à travers chaque pièce. Quel congé on va passer…

CHAPITRE 10

Tout est bien qui finit bien… ou presque !

Une heure plus tard, je suis en train de laver la salle de bain avec Benjamin, quand une main posée sur mon épaule me fait sursauter. Je me retourne en criant.

— Mamie ! Qu'est-ce que tu fais ici ? dis-je en courant dans ses bras.

— Je vous apportais une lasagne pour le souper. J'ai sonné plusieurs fois et, comme personne ne répondait, je me suis permis d'entrer. Et voilà que je découvre mes petits-enfants faisant le ménage. Je dois être en train de rêver… Que se passe-t-il donc ici ? demande-t-elle avec curiosité.

Benji et moi, en nous coupant souvent la parole ou en parlant parfois en même temps, on lui explique tout : la crise de maman dans l'auto, sa démission, la vengeance ratée contre Ludo qui nous avait abandonnés, le gâteau brûlé, la démission de papa, les vêtements roses et, finalement, le refus de madame Tissot de nous aider. Mamie est morte de rire à nous écouter. Ça m'énerve un peu, mais quand elle annonce, entre deux rires, qu'elle va nous donner un coup de main, je crois que je vais pleurer de joie !

Une chance qu'elle est arrivée, notre super mamie. Parce qu'avec elle, on forme une équipe du tonnerre. On travaille sans relâche. Et, enfin, la maison est rangée, nettoyée et sent bon «le propre», fin prête à accueillir nos parents. Tout comme nous, d'ailleurs!

Ce n'est pas le genre de congé rêvé, mais le résultat en vaut la peine. Ludovic demande à mamie si elle peut rester souper avec nous.

— Pour te remercier de nous avoir aidés, dit-il, mais aussi parce que les parents veulent nous parler.

— Tu pourrais jouer notre avocate, lance Nathan à la blague.

Mamie accepte tout en nous faisant comprendre qu'elle est entièrement d'accord avec nos parents.

Quand ceux-ci rentrent enfin, on les attend avec un bon souper : la fameuse lasagne de mamie dont toute la famille raffole. Sans attendre, on se met à table. C'est notre premier souper en famille depuis une semaine, et chacun aime qu'on se retrouve ensemble. Nos parents nous remercient pour le ménage et nous félicitent même.

— Alors, ça veut dire que vous arrêtez de démissionner ? demande Benjamin, les yeux brillants d'espoir.

Je retiens mon souffle et croise les doigts. Nos parents se regardent, puis nous fixent à tour de rôle. Papa prend une profonde inspiration avant de déclarer :

— Oui, Benji, nous arrêtons notre grève et reprenons nos rôles de parents.

Mes frères et moi, on laisse éclater notre joie et notre soulagement. Non seulement on a retrouvé une maison habitable mais, surtout, on retrouve nos parents.

— Par contre, mes grands, reprend maman avec un beau sourire, il n'est pas question que ça redevienne comme avant notre démission.

— Ce qui veut dire? demande Nathan avec une pointe d'inquiétude dans la voix.

Je me pose la même question.

— Eh bien, ça veut simplement dire que, dorénavant, vous participerez activement aux tâches domestiques. Vous nous avez prouvé que vous en êtes capables. Voir la maison aussi propre après l'état dans lequel elle était jusqu'à ce matin, ça me montre que vous savez faire le ménage. À partir d'aujourd'hui, nous nous passerons donc des services de madame Tissot. Et nous ferons le ménage en famille, explique-t-elle, tout enjouée.

— C'est super! s'écrie joyeusement Benjamin, qui a eu bien du plaisir à faire le ménage aujourd'hui.

Personnellement, ça me convient très bien parce que je suis prête à tout pour que mes parents cessent leur grève. Mes grands frères, eux, n'ont pas l'air emballés. Bras croisés, sourcils froncés, ils semblent réfléchir. Soudain, les yeux de Nathan se mettent à briller et un sourire illumine son visage.

— J'ai une proposition à vous faire. Je suis d'accord pour faire le ménage. Mais, comme madame Tissot, je veux être payé.

— Je t'approuve ! s'exclame Ludovic, en tapant dans la main de Nathan.

Comment nos parents vont-ils réagir ? Moi, je les trouve gonflés, mes frères.

— Vous ne manquez pas de culot, tous les deux ! lâche papa en ricanant. Mais ce n'est pas une mauvaise idée.

— Oui, nous allons y réfléchir, dit maman, hochant la tête. Voyons comment ça se passe pendant quelques semaines. Si nous sommes satisfaits de votre participation, alors d'accord, vous serez payés.

— Moi aussi? demande Benjamin, les yeux remplis d'espoir.

— Oui, mon grand. Vous aurez chacun votre argent de poche pour le ménage.

Quelle fin heureuse, quand même! Mon cauchemar est terminé. Mes parents sont de retour et notre vie peut recommencer normalement. Et bientôt, en plus, j'aurai de l'argent de poche!